小学6年分の
算数が
面白いほど解ける
65のルール

間地秀三 著

はじめに

　本書は 2002 年に出版された「小学 6 年分の算数の解き方」のリニューアルです。前回の内容を見直し、よりよく理解出来るよう工夫をしました。
　この本には小学校でならういわゆる学校の算数からつるかめ算、ニュートン算、差集め算………と私立中入試の定番まで幅広く取り上げています。
　多くの皆さまが小学校の算数の内容として思っているものがほとんど入っています。
　そしておそらく、本書にチャレンジした皆さまは、おもしろかった、よくわかった、という他書でも得られる同様の感想のほかに**つかめた、あるいは押さえた**という感想をもたれると思います。

　実はこのことこそ本書のネライです。
　算数、そしてそのあとに続く数学はクイズではありません。
　よく算数や数学で **＜ひらめきは要りますか？＞** という質問を受けることがありますが、答は **＜ひらめきはほとんど必要ありません＞** です。
　もしひらめき（＝柔軟な思考）が必要なら算数や数学の先生に年配者はいないはずです。

　もちろん先生方に質問すれば、ほとんどの問題が解けますから賢そうに見えますが。たいしたことはありません。

彼らはただ算数や数学の内容をつかんでる、言葉を変えればツボを押さえてる、それだけのことです。

　もう少し説明しましょう。こんな経験はありませんか。
中学時代、数学がよくできて、よく勉強する生徒さんが高校に行くと、勉強すれどもできなくなる。
　反対に、そんなに勉強しないけど、数学の成績がいい生徒さんがたまにいる。

　これこそが、算数や数学の特徴です。内容をつかんでツボさえ押さえておけば、あとはこの類題ですから簡単に解けます。
　反対に、**内容がつかめていないと応用が利きませんから、覚えた問題ズバリが出題されないと解けません。**

　小学校では、問題の数が限られますから、がむしゃらに勉強時間さえ増やせばなんとかなりますが、中学から高校へ進むにつれてだんだん通用しなくなります。
　ですから、**本書のように小学校の算数の段階から、いいやり方を身につけることをお勧めします。**

　さて、今小学生の皆さんは、本書のやり方で頭の整理をしてください。
　そうすると、なんとなくわかっていたレベルの皆さんはたしかにわかったという自信がみなぎるはずです。

応用力が不足していたレベルの皆様は、これからはできるという確信がもてるはずです。

　むかし、数学がいまひとつかめなかった大人の方は、やり方さえよければわかったのにと思っていただけるでしょう。

　そして、算数が伸び悩んでいるお子さんをお持ちの皆さんは、こっそり解き方のルールを覚えてお子さんに教えてあげてください。すぐに笑顔がみられるでしょう。

　本書は、**ルール＋攻め方＝解き方のコツ**を集めたものです。
　楽しく学んで、ここでまとめた解き方のルールを、今後チャレンジする問題を解くときの武器として多いに利用して、算数が解けるおもしろさを存分に味わってください。

　算数はできると楽しいといわれます（何でもそうですが）。これは本当です。読者の皆さまが、本書の解き方のコツによって、その楽しさを知る人の仲間入りをしてくださったなら、著者としてこれほどの喜びはございません。

間地秀三

はじめに

第1章 計算が速くてうまくなる 解き方のルール

ルール ① ･･･ 16
かけ算とわり算は面積図を使う

ルール ② ･･･ 20
たし算とひき算は線分図を使う

ルール ③ ･･･ 24
方程式は線分図と面積図を組み合わせる

ルール ④ ･･･ 28
□×△+□×○=□×(△+○)
□×△−□×○=□×(△−○)

ルール ⑤ ･･･ 32
約数は両側からかきあげる

ルール ⑥ ･･･ 34
公約数は小さい数でチェックする

ルール ⑦ ･･･ 37
公倍数は大きい数でチェックする

ルール ⑧ ･･･ 40
がい数はひとつ下を四捨五入する

ルール ⑨ ･･･ 43
がい算は、がい数にしてから行う

ルール ⑩ ･･･ 45
小数 → 分数は、整数÷(10？ 100？ ……)を考える

ルール ⑪ …………………………………………………………………… 47
　小数と分数がまざった計算では小数を分数に変える

ルール ⑫ …………………………………………………………………… 50
　小数のかけ算は小数点より下のけた数の和を見る

ルール ⑬ …………………………………………………………………… 54
　小数でわる計算ではわる数を整数に変える

ルール ⑭ …………………………………………………………………… 59
　単位の換算は機械的にかけるかわる

ルール ⑮ …………………………………………………………………… 61
　複雑な換算は 2 段階・3 段階で行う

第 2 章　速さ・時間・道のりの応用問題が簡単にできる解き方のルール

ルール ⑯ …………………………………………………………………… 66

　速さ・時間・道のりは（道のり／速さ｜時間）を使う

ルール ⑰ …………………………………………………………………… 69
　速さの変換は、道のり → 時間と 2 段階で行う

ルール ⑱ …………………………………………………………………… 72
　追いつくまでの時間は速さの差に着目

ルール ⑲ …………………………………………………………………… 74
　出会うまでの時間は速さの和に着目

ルール ⑳ ……………………………………………………… 76
　時計は1分間に長針6度、短針0.5度

ルール ㉑ ……………………………………………………… 79
　通過算は運転手で距離をつかむ

ルール ㉒ ……………………………………………………… 84
　流水算　上りの速さ＝船－川
　　　　　下りの速さ＝船＋川

第3章　割合と比が得意分野になる解き方のルール

ルール ㉓ ……………………………………………………… 88
　比べる量 ÷ もとにする量 ＝ 割合
　「～は」が比べる量

ルール ㉔ ……………………………………………………… 90
　比べる量ともとにする量は面積図で計算

ルール ㉕ ……………………………………………………… 93
　小数 → ％ は ×100　　％ → 小数は ÷100

ルール ㉖ ……………………………………………………… 97
　食塩水の濃度は子ども（塩）と大人（水）のグループで考える

ルール ㉗ ……………………………………………………… 101
　かけるとわるで比を簡単にする

ルール ㉘ ……………………………………………………… 105
　A：B の比の値は $\dfrac{A}{B}$

ルール ㉙ ……………………………………………………………… 107
比の方程式は内項の積＝外項の積で解く

ルール ㉚ ……………………………………………………………… 110
比例配分は線分図で考える

第4章 文章題がツボにはまってスラスラわかる解き方のルール

ルール ㉛ ……………………………………………………………… 114
和差算は2本線分図をかく

ルール ㉜ ……………………………………………………………… 118
集合算はベン図をかく

ルール ㉝ ……………………………………………………………… 123
ニュートン算は出る量－入る量＝へる量

ルール ㉞ ……………………………………………………………… 126
つるかめ算は面積図を横に並べる

ルール ㉟ ……………………………………………………………… 130
差集算・過不足算は面積図を縦に並べる

ルール ㊱ ……………………………………………………………… 136
仕事算では全体の仕事量を1とする

ルール ㊲ ……………………………………………………………… 141
平均＝合計÷個数　　合計＝平均×個数

ルール ㊳ ……………………………………………………………… 145
消去算は一方をそろえる

第5章 平面図形がよくわかる解き方のルール

ルール ㊴ 150
　三角形の内角の和は180°

ルール ㊵ 152
　三角形の外角は隣にない2内角の和

ルール ㊶ 154
　N角形の内角の和は180°×（N－2）

ルール ㊷ 158
　外角の和は360°

ルール ㊸ 160
　長方形の面積＝縦×横
　平行四辺形の面積＝底辺×高さ
　台形の面積＝（上底＋下底）×高さ÷2

ルール ㊹ 162
　三角形の面積＝底辺×高さ÷2

ルール ㊺ 164
　円の面積＝半径×半径×円周率
　円周＝直径×円周率
　円周率＝3.14……

ルール ㊻ 166
　おうぎ形の面積＝円の面積×$\dfrac{中心角}{360°}$

　弧の長さ＝円周の長さ×$\dfrac{中心角}{360°}$

ルール ㊼ ……………………………………………… 168
複雑な面積はいくつかに分けるか
全体からまわりをひく

ルール ㊽ ……………………………………………… 171
三角形の合同条件は
① 3 辺がそれぞれ等しい
② 辺とその間の角がそれぞれ等しい
③ 1 辺とその両端の角がそれぞれ等しい

ルール ㊾ ……………………………………………… 173
拡大図と縮図の性質
① 対応する角の大きさはそれぞれ等しい
② 対応する辺の長さの比はすべて等しい
③ 相似比 a : b ⇔ 面積比 a×a : b×b

ルール ㊿ ……………………………………………… 177
三角形の高さが共通なら
面積比は底辺の比

ルール (51) ……………………………………………… 180
N 角形の対角線の数は (N−3)×N÷2

第6章　立体図形に強くなる解き方のルール

ルール (52) ……………………………………………… 184
角柱・円柱の体積＝底面積 × 高さ

ルール (53) ……………………………………………… 187
角柱・円柱の表面積＝底面積 × 2 ＋側面積

ルール (54) ………………………………………… 189
角すい・円すいの体積＝底面積 × 高さ × $\frac{1}{3}$

ルール (55) ………………………………………… 192
角すい・円すいの表面積＝底面積＋側面積

ルール (56) ………………………………………… 194
円すいの応用問題は
側面の弧＝底面の円周で解く

ルール (57) ………………………………………… 197
複雑な体積はいくつかに分けるか
全体からまわりをひく

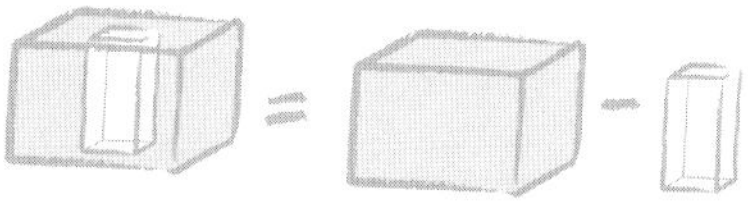

第7章 ともなって変わる量がいとも簡単にできてしまう解き方のルール

ルール (58) ………………………………………… 202
x と y が比例するとき　y＝a × x

ルール (59) ………………………………………… 205
x と y が反比例するとき　y＝a ÷ x

ルール (60) ………………………………………… 208
グラフは点でかく、点で読む

ルール (61) ………………………………………… 211
歯車では歯数 × 回転数が等しい

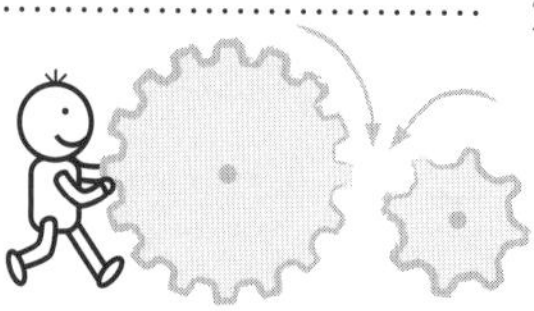

目　次

第8章　場合の数を迷わず正確に求める解き方のルール

ルール 62 …………………………………………………………… 216
並べ方は樹形図をかいて考える

ルール 63 …………………………………………………………… 220
たくさん選ぶ場合は選ばれないほうを考えてみる

ルール 64 …………………………………………………………… 223
Nチームの総あたり戦の試合数はN×(N−1)÷2

ルール 65 …………………………………………………………… 226
Nチームの勝ち抜き戦の試合数はN−1

カバーデザイン　高橋 千惠

第1章

計算が速くてうまくなる解き方のルール

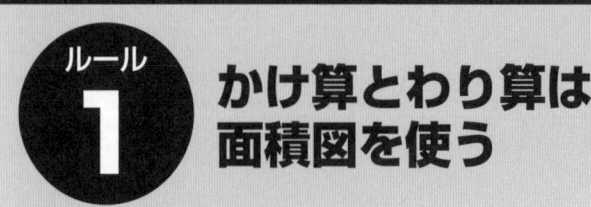

解説 まずは解説をしっかり読もう！

かけ算とわり算は面積図を使う。これがポイントです。
たとえば、3×4=12 の面積図をかきます。

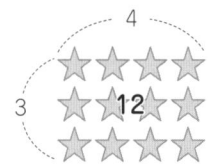

この図から、
かけ算 4×3=12 と
わり算 12÷3=4　12÷4=3　が同時にわかります。

そこで、面積図をかけば、かけ算または、わり算で表された**方程式が簡単に解けます**し、かけ算またはわり算で表された**公式**（たとえば、割合の公式・食塩水の公式・速さの公式など）**が簡単に変形できます。**

以下、例と練習で慣れましょう。

第1章 計算が速くてうまくなる 解き方のルール

3×□=15 の□の中に入る数字を求めてください。

面積図をかきます。

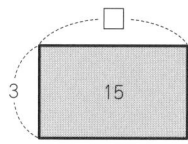

面積図より □=15÷3=5

比べる量 ÷ もとにする量 ＝ 割合 より
比べる量を求める式（比べる量＝……）と
もとにする量を求める式（もとにする量＝……）
を作ってください。

比べる量 ÷ もとにする量 ＝ 割合 の面積をかきます。

面積図より 比べる量＝もとにする量 × 割合
　　　　　 もとにする量＝比べる量 ÷ 割合 です。

練習1 実践!!

x を求めてください。
① $x \times 7 = 42$ ② $306 \div x = 18$ ③ $x \div 23 = 15$

memo

答 確認!!

① 右図より $x = 42 \div 7 = 6$

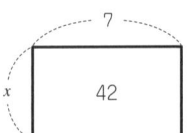

② 右図より $x = 306 \div 18 = 17$

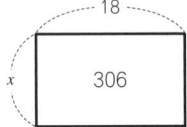

③ 右図より $x = 15 \times 23 = 345$

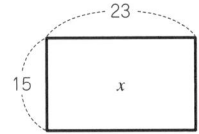

> 合計 ÷ 個数 = 平均　という式から、個数を求める式（個数 = ……）と、合計を求める式（合計 = ……）を作ってください。

memo

下図より　個数 = 合計 ÷ 平均
　　　　　合計 = 平均 × 個数

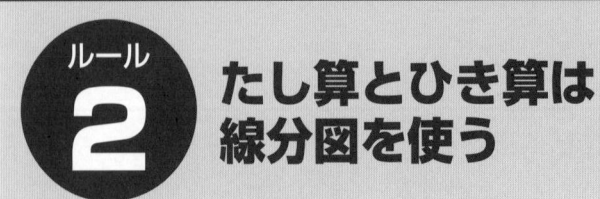

解説

たし算とひき算は線分図を使う。これがポイントです。
たとえば、5+7=12 の線分図をかきます。

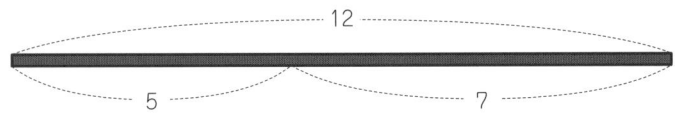

この図から、
たし算 7+5=12 と
ひき算 12−5=7 12−7=5 が同時にわかります。

そこで、線分図をかけば、たし算または、ひき算で表された**方程式が簡単に解けます**し、たし算または、ひき算で表された**式**(たとえば、利益の式・残高の式など)**が簡単に変形できます。**

以下、例と練習で慣れましょう。

第1章　計算が速くてうまくなる　解き方のルール

6+x=13 の x を求めなさい。

線分図をかきます。

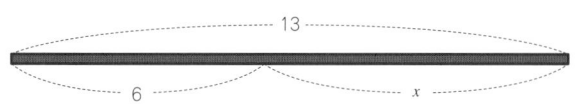

線分図より　$x=13-6=7$　です。

例題

利益＝売値－原価より
売値を求める式（売値＝……）と
原価を求める式（原価＝……）を作ってください。

利益＝売値－原価　の線分図をかきます。

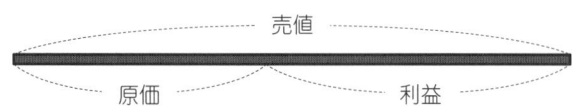

線分図より　売値＝原価＋利益
　　　　　　原価＝売値－利益　です。

練習1  実践!!

> x を求めてください。
> ① $x+7=42$ ② $106-x=43$ ③ $x-23=98$

memo

答 確認!!

① 下図より　$x=42-7=35$

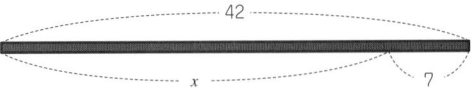

② 下図より　$x=106-43=63$

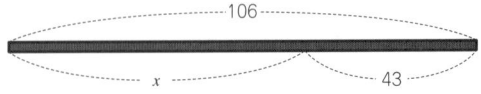

③ 下図より　$x=23+98=121$

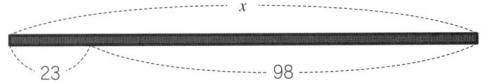

第1章 計算が速くてうまくなる 解き方のルール

利益＝売値－原価より 売値を求める式（売値＝……）
と原価を求める式（原価＝……）を作ってください。
そして、これらの式を使って下の表の空欄をうめてください。

科　目	売　値	原　価	利　益
ハンカチ	780	540	
ティッシュ	450		123
電　池		1245	78

memo

下図より　売値＝原価＋利益
　　　　　原価＝売値－利益

科　目	売　値	原　価	利　益
ハンカチ	780	540	240
ティッシュ	450	327	123
電　池	1323	1245	78

ルール3 方程式は線分図と面積図を組み合わせる

解説 まずは解説をしっかり読もう！

かけ算とわり算は面積図を使う（ルール1）
たし算とひき算は線分図を使う（ルール2）
そして、少し複雑な方程式は線分図と面積図を組み合わせる。
これがポイントです。
以下、例と練習で慣れましょう。

例題

$4 \times x + 8 = 44$ を解いてください。

答

まず線分図をかきます。

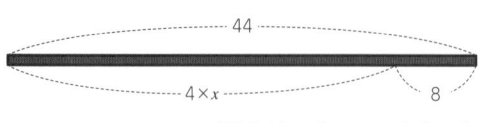

図より $4 \times x = 44 - 8 = 36$

次に面積図をかきます。

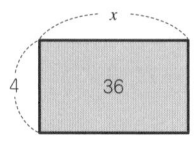

図より $x = 36 \div 4 = 9$ です。

答 $x = 9$

第1章 計算が速くてうまくなる 解き方のルール

練習1  実践!!

$85 - 12 \times x = 1$ を下図に必要なことをかき入れて解いてください。

図より $12 \times x =$

図より $x =$

答 確認!!

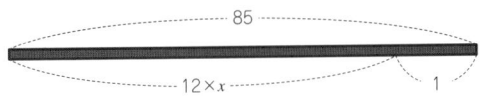

図より $12 \times x = 85 - 1 = 84$

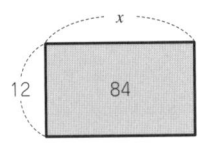

図より $x = 84 \div 12 = 7$ 　　　　　答 $x = 7$

桃 8 個と 1 個 800 円のメロン 5 個を買って 5120 円払いました。桃 1 個の値段はいくらでしょうか。
桃 1 個を x 円として方程式を立てて解いてください。

memo

$8 \times x + 800 \times 5 = 5120$

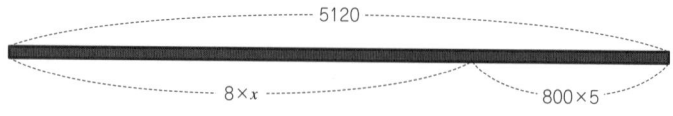

図より　$8 \times x = 5120 - 4000 = 1120$

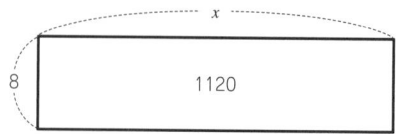

図より　$x = 1120 \div 8 = 140$

答　140 円

第1章　計算が速くてうまくなる　解き方のルール

280個のチョコレートを1人に5個ずつ生徒に配ったところ、35個余りました。生徒は何人いたのでしょうか。生徒を x 人として、方程式を立てて解いてください。

memo

$5 \times x + 35 = 280$

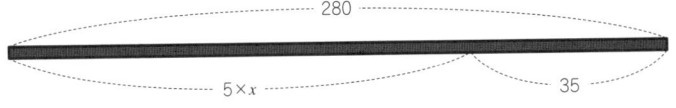

図より　$5 \times x = 280 - 35 = 245$

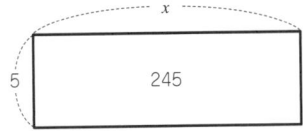

図より　$x = 245 \div 5 = 49$

答　49人

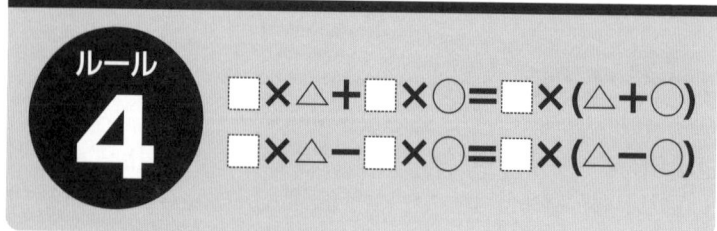

解説 まずは解説をしっかり読もう！

たとえば、

$$4 \times 46 + 4 \times 54 = 4 \times (46 + 54) = 4 \times 100 = 400$$

$$5 \times 12 - 5 \times 2 = 5 \times (12 - 2) = 5 \times 10 = 50$$

のように計算します。

このやり方が正しいことは、面積図をかけば簡単に理解できます。

$$4 \times 46 + 4 \times 54 = 4 \times (46 + 54) = 4 \times 100 = 400$$

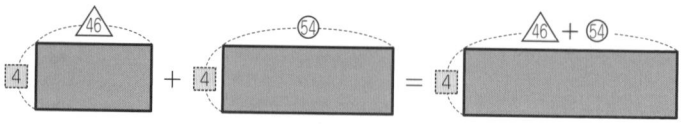

$$5 \times 12 - 5 \times 2 = 5 \times (12 - 2) = 5 \times 10 = 50$$

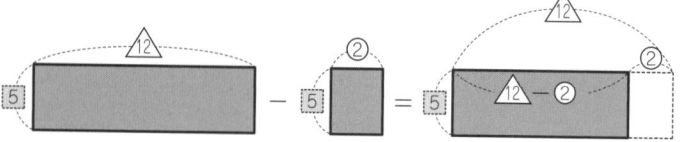

□×△+□×○=□×(△+○) と
□×△−□×○=□×(△−○) が正しいことはわかりました。
□　△　○　は中学になると文字で表します。

たとえば、□ → m　△ → a　○ → b　とすると、
$\boxed{m}×\triangle{a}+\boxed{m}×\textcircled{b}=\boxed{m}×(\triangle{a}+\textcircled{b})$

これは、共通因数でくくるという因数分解です。

反対に
$\boxed{m}×(\triangle{a}+\textcircled{b})=\boxed{m}×\triangle{a}+\boxed{m}×\textcircled{b}$

これは、分配の法則です。

このように、このルールは中学数学に直結します。
　面積図で理解しておけば、中学数学でやる分配の法則も共通因数でくくるという因数分解も楽勝です。
　以下、例と練習で慣れましょう。

次の計算をしてください。
① 6×45+6×55
② 1.2×2.5+1.2×7.5
③ 25×2.7+25×0.3
④ 16×34−16×24

① 6×45+6×55＝6×(45+55)
　　　　　　　＝6×100＝600

② 1.2×2.5+1.2×7.5 ＝1.2×(2.5+7.5)
　　　　　　　　　　＝1.2×10＝12

③ 25×2.7+25×0.3 ＝25×(2.7+0.3)
　　　　　　　　　＝25×3＝75

④ 16×34−16×24 ＝16×(34−24)
　　　　　　　　＝16×10＝160

練習 実践!!

次の計算をしてください。
① 23×40−3×40　② 8.2×15−2.2×15
③ 25×1.23+75×1.23　④ 8.4×20−4.4×20

memo

答 確認!!

① 23×40−3×40＝(23−3)×40
　　　　　　　　＝20×40＝800

② 8.2×15−2.2×15＝(8.2−2.2)×15
　　　　　　　　＝6×15＝90

③ 25×1.23+75×1.23＝(25+75)×1.23
　　　　　　　　＝100×1.23＝123

④ 8.4×20−4.4×20＝(8.4−4.4)×20
　　　　　　　　＝4×20＝80

ルール5 約数は両側からかきあげる

解説 まずは解説をしっかり読もう！

まず約数とはどんな数か説明します。

たとえば **10 の約数は、1，2，5，10 のように 10 をわり切ることができる整数**です。5 の約数なら 5 をわり切ることができる整数、15 の約数なら 15 をわり切ることができる整数です。

約数をかきあげるコツは両側からかいていくことです。

たとえば、36 の約数なら 36÷1=36 ですから、1 は 36 の約数です。

同時に 36÷36=1 ですから 36 も約数になります。

そこで（1，　　　　　　　　36）のようにかきます。

次に、36÷2=18 だから
　　（1，2　　　　　　　18，36）同様に
36÷3=12　　36÷4=9 だから
　　（1，2，3，4，9，12，18，36）
そして、36÷6=6 だから
　　（1，2，3，4，6，9，12，18，36）

このように、**両側からかいていくと簡単にはやくかきあげることができます。**

以下、練習で慣れましょう。

第1章 計算が速くてうまくなる 解き方のルール

練習 実践!!

次の数の約数を全部かいてください。
① 15 の約数　　② 8 の約数
③ 45 の約数　　④ 24 の約数
⑤ 64 の約数　　⑥ 81 の約数

memo

答 確認!!

① (1, 3, 5, 15)
② (1, 2, 4, 8)
③ (1, 3, 5, 9, 15, 45)
④ (1, 2, 3, 4, 6, 8, 12, 24)
⑤ (1, 2, 4, 8, 16, 32, 64)
⑥ (1, 3, 9, 27, 81)

ルール6 公約数は小さい数でチェックする

解説 まずは解説をしっかり読もう！

まず公約数とはどんな数か説明します。
例として6と24の公約数を考えましょう。
6の約数は 1 2 3 6
24の約数は 1 2 3 4 6 8 12 24
6と24の公約数は、6の約数でかつ24の約数にもなっている。数 1 2 3 6 です。
公約数のうち一番大きい6を**最大公約数**といいます。
公約数をかきあげる問題では、**小さい数の約数でチェックすると簡単ではやくできます。**以下、例と練習で慣れましょう。

例題　15と36の公約数をあげてください。

答　小さい数15の約数でチェックします。
1？　3？　5？　15？
1と3であることがわかります。

答　1,3

※もし大きい数36の約数でチェックすると
　1？　2？　**3？**　4？　6？　9？　12？　18？　36？
のように、きわめて効率がわるくなります。

第1章 計算が速くてうまくなる 解き方のルール

練習1 実践!!

次の( )の中の公約数をすべてかきあげてください。
① (6, 63)
② (20, 45)
③ (21, 168)
④ (16, 84)
⑤ (4, 12, 36)
⑥ (9, 54, 105)

memo

答 確認!!

① 6の約数 1, 2, 3, 6でチェックして (1, 3)
② 20の約数 1, 2, 4, 5, 10, 20でチェックして (1, 5)
③ 21の約数 1, 3, 7, 21でチェックして (1, 3, 7, 21)
④ 16の約数 1, 2, 4, 8, 16でチェックして (1, 2, 4)
⑤ 4の約数 1, 2, 4でチェックして (1, 2, 4)
⑥ 9の約数 1, 3, 9でチェックして (1, 3)

練習2 実践!!

縦54cm、横90cmの長方形の紙があります。この紙を縦、横ともに余りが出ないように正方形に切り分けます。できるだけ大きな正方形を作るには正方形の1辺を何cmにすればよいでしょうか。

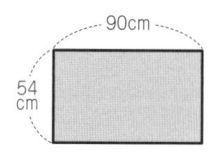

memo

答 確認!!

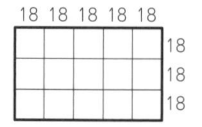

正方形だから、縦方向、横方向ともに同じ間隔で切っていきます。
結局同じ間隔（＝正方形の1辺）は
54と90の公約数です。公約数は小さいほう54の約数 1, 2, 3, 6, 9, 18, 27, 54 でチェックすると（1, 2, 3, 6, 9, 18）です。
できるだけ大きな正方形だから18

答　18cm

ルール7 公倍数は大きい数でチェックする

解説 まずは解説をしっかり読もう！

公倍数を説明する前に、まず倍数とはどんな数かを見てみましょう。
たとえば **5の倍数**は 5×**1**=5　5×**2**=10　5×**3**=15
5×**4**=20　5×**5**=25　5×**6**=30　5×**7**=35……
のように **5× 整数**です。同様に 4 の倍数は 4× 整数、3 の倍数は 3× 整数です。

次に公倍数とはどんな数か見てみましょう。
例として 3 と 4 の公倍数を考えましょう。
3 の倍数は　3　6　9　12　15　18　21　24　27 ……
4 の倍数は　4　8　12　16　20　24　28　32 ……

3 と 4 の公倍数は 3 の倍数で、かつ 4 の倍数にもなっている数　12　24　…………です。

公倍数のうち一番小さい　12　を**最小公倍数**といいます。

公倍数をかきあげる問題では大きい数の倍数でチェックすると簡単ではやくできます。
以下、例と練習で慣れましょう。

例題

9と5の公倍数を小さいほうから2つあげてください。

答

大きい数9の倍数でチェックします。
9？ 18？ 27？ 36？ **45？** 54？ 63？ 72？ 81？ **90？** より45と90であることがわかります。

<u>答 45,90</u>

※小さい数5でチェックすると
5？ 10？ 15？ 20？ 25？ 30？ 35？ 40？ **45？** 50？ 55？ 60？ 65？ 70？ 75？ 80？ 85？ **90？** のようにきわめて効率がわるくなります。

練習1　実践!!

次の（ ）の中の公倍数を小さいほうから順に3つかいてください。
① (4, 5)　　　② (3, 5, 9)

memo

答　確認!!

① 大きい数5の倍数でチェック
5　10　15　**20**　25　30　35
40　45　50　55　**60**　より　　<u>答 (20,40,60)</u>

第1章 計算が速くてうまくなる 解き方のルール

② 大きい数9の倍数でチェック
9 18 27 36 **45** 54 63 72 81 **90** 99 108 117 126 **135** より

答 (45,90,135)

練習2 実践!!

縦15cm、横12cmの長方形のタイルを同じ向きにならべて正方形を作ります。
一番小さい正方形の1辺の長さは何cmでしょうか。またタイルは何枚必要でしょうか。

memo

答 確認!!

正方形だから、縦方向、横方向とも
同じ長さにします。
そこで、正方形の1辺は15と12の公倍数
です。公倍数は大きい数15の倍数でチェックします。
15? 30? 45? 60? より最小の公倍数は60です。
タイルの枚数は、縦方向に60÷15=4 横方向に60÷12=5だから、4×5=20です。

答 60cm 20枚

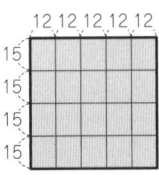

ルール8 がい数はひとつ下を四捨五入する

解説　まずは解説をしっかり読もう！

まず、がい数とはどんな数か説明します。
たとえば財布の中に16756円持っているとき、いくら持ってると聞かれたら、17000円位と答えます。
このおよその数をがい数といいます。

がい数の作り方はズバリひとつ下を四捨五入です。
千の位までのがい数といわれたら、千の位のひとつ下の百の位を四捨五入します。上から2けたのがい数といわれたら、上から2桁のひとつ下の上から3桁目を四捨五入します。
以下、例と練習で慣れましょう。

例題
以下の数を千の位までのがい数にしてください。
① 3034　② 3334　③ 3534　④ 3834

答
千の位までのがい数にするときは、千の位のひとつ下の百の位を四捨五入します。

3 0 3 4　　0なので千の位3はそのままで**3000**
3 3 3 4　　3なので千の位3はそのままで**3000**
3 5 3 4　　5なので千の位3を1大きくして**4000**
3 8 3 4　　8なので千の位3を1大きくして**4000**

第1章 計算が速くてうまくなる 解き方のルール

例題

以下の数を上から2けたのがい数にしてください。
① 8931　② 4567

答

上から2けたのがい数にするときは、
ひとつ下の**上から3けた目を四捨五入**します。

89<u>3</u>1　　3を四捨五入して　8900

45<u>6</u>7　　6を四捨五入して　4600　とします。

練習1　実践!!

次の数を（　）の位までのがい数にしてください。
① 876（百の位）　　② 6798（千の位）
③ 34376（千の位）　④ 67890（一万の位）

memo

答　確認!!

① 900　② 7000　③ 34000　④ 70000

練習2 実践!!

次の数を上から2けたのがい数にしてください。
① 52876
② 6718
③ 632718
④ 8790990

memo

答 確認!!

① 53000　　② 6700　　③ 630000　　④ 8800000

練習3 実践!!

地球と月との距離は、384403kmです。
この距離を上から3けたのがい数で表してください。

memo

答 確認!!

384000km

第1章　計算が速くてうまくなる　解き方のルール

ルール9　がい算は、がい数にしてから行う

解説 まずは解説をしっかり読もう！

がい算とは細かい計算ではなくて、大体の計算です。
ポイントは、まず、がい数にしてそれから計算することです。
以下、例と練習で慣れましょう。

例題

2つの数 57608 と 26360 をそれぞれ四捨五入して千の位までのがい数にして和を求めてください。

答

5 7 6 0 8　→百の位 6 を四捨五入して、58000
2 6 3 6 0　→百の位 3 を四捨五入して、26000
がい数にした2つの数をたして和を求めます。
58000＋26000＝84000

答　84000

例題

富士山は 3776m、阿蘇山は 1592m です。
高さの差はどのくらいでしょうか。百の位までのがい数にしてがい算してください。

答

3 7 7 6　→百の位 7 を四捨五入して、3800
1 5 9 2　→百の位 9 を四捨五入して、1600
3800－1600＝2200

答　2200m

43

練習1 実践!!

> A社では、ある製品を昨日52329個、今日67809個作りました。昨日と今日で合計約何個作ったでしょうか。それぞれ千の位までのがい数にして、がい算してください。

memo

....

答 確認!!

5 2 3 2 9　→百の位 3 を四捨五入して、52000
6 7 8 0 9　→百の位 8 を四捨五入して、68000
がい数にした2つの数をたして和を求めます。
52000+68000=120000　　　答　約120000個

練習2 実践!!

> 友だちと動物園にいくことになりました。交通費はバス代1580円、入園料560円、乗り物券1430円です。かかる費用はおよそ何円でしょうか。百の位までのがい数にしてがい算してください。

memo

....

答 確認!!

1580→1600　　560→600　　1430→1400
1600+600+1400=3600　　　答　およそ3600円

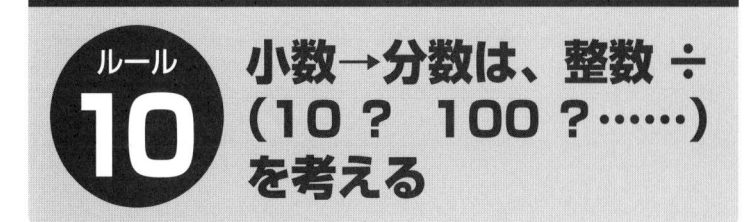

第1章 計算が速くてうまくなる 解き方のルール

ルール10 小数→分数は、整数 ÷（10？ 100？……）を考える

解説 まずは解説をしっかり読もう！

たとえば0.21を分数に直すとき
21÷10？　21÷100？……のどれか考えます。
このしくみがわかるために、÷10、÷100、÷1000………
によって位がどう変わるかを見てみましょう。

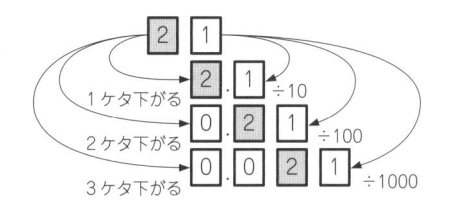

```
         2  1
         ↓
1ケタ下がる    2 . 1        ÷10
2ケタ下がる    0 . 2  1     ÷100
3ケタ下がる    0 . 0  2  1  ÷1000
```

2 1 を10でわると（÷10）　2 . 1
と1けた位が小さくなります。
2 1 を100でわると（÷100）　0 . 2 1
と2けた位が小さくなります。

いずれにしろ先頭の数字（ここでは 2 ）に着目すると簡単にわかります。このことがわかれば小数 ⇒ 分数は簡単です。
以下、例と練習で慣れましょう。

例題

0.52 を分数で表してください。

答

0.52 は、**5**2÷10？ **5**2÷100？ と先頭の数字 5 に着目してみていくと、52÷100 であることがわかります。そこで

$$0.52 = 52 \div 100 = \frac{52}{100} = \frac{13}{25}$$ です。（÷4）

練習 実践!!

次の小数を分数で表してください。
① 0.5　② 0.2　③ 0.052　④ 0.65

答 確認!!

① $0.5 = 5 \div 10 = \frac{5}{10} = \frac{1}{2}$ （÷5）

② $0.2 = 2 \div 10 = \frac{2}{10} = \frac{1}{5}$ （÷2）

③ $0.052 = 52 \div 1000 = \frac{52}{1000} = \frac{13}{250}$ （÷4）

④ $0.65 = 65 \div 100 = \frac{65}{100} = \frac{13}{20}$ （÷5）

ルール11 小数と分数がまざった計算では小数を分数に変える

解説 まずは解説をしっかり読もう！

小数→分数　分数→小数ですから、小数と分数がまざった計算では小数を分数に変えても、分数を小数に変えてもいいように思われがちですがそうはいきません。

たとえば　$\frac{1}{2}=1\div 2=0.5$ ですから

$\frac{1}{2}+0.7=0.5+0.7=1.2$　と計算できますが

$\frac{1}{3}+0.7$ の $\frac{1}{3}$ を小数に変えて計算しようとしても

$\frac{1}{3}=0.333$……とわり切れませんから、うまくいきません。

このように、**分数は小数にうまく直せないことがある**ので、小数と分数がまざった計算では小数を分数に変えます。

とくに、かけ算とわり算では、**小数を分数に変えることで約分が使えると計算が楽になります。**
以下、例と練習で慣れましょう。

例題

$\frac{1}{3}$ +0.6 を計算してください。

答

$0.6 = 6 \div 10 = \frac{6}{10} = \frac{3}{5}$ だから

$\frac{1}{3} + 0.6 = \frac{1}{3} + \frac{3}{5} = \frac{5}{15} + \frac{9}{15} = \frac{14}{15}$

練習1 実践!!

次の計算をしてください。
① $\frac{1}{5}$ +0.25   ② $\frac{1}{10}$ +0.7   ③ $\frac{2}{25}$ +0.12

memo

答 確認!!

① $\frac{1}{5} + 0.25 = \frac{1}{5} + \frac{25}{100} = \frac{1}{5} + \frac{1}{4} = \frac{4}{20} + \frac{5}{20} = \frac{9}{20}$

② $\frac{1}{10} + 0.7 = \frac{1}{10} + \frac{7}{10} = \frac{8}{10} = \frac{4}{5}$

③ $\frac{2}{25} + 0.12 = \frac{2}{25} + \frac{12}{100} = \frac{2}{25} + \frac{3}{25} = \frac{5}{25} = \frac{1}{5}$

第 1 章 計算が速くてうまくなる 解き方のルール

例題

$\dfrac{1}{5} \times 0.2 \div 0.3$ を計算してください。

答

$0.2 = 2 \div 10 = \dfrac{2}{10}$ 　　$0.3 = 3 \div 10 = \dfrac{3}{10}$

また、**わり算は逆数のかけ算にする。**

ここでは　$\div \dfrac{3}{10} = \times \dfrac{10}{3}$　だから

$$\dfrac{1}{5} \times 0.2 \div 0.3 = \dfrac{1}{5} \times \dfrac{2}{10} \div \dfrac{3}{10}$$
$$= \dfrac{1}{5} \times \dfrac{2}{10} \times \dfrac{10}{3} = \dfrac{2}{15}$$

練習2　実践!!

次の計算をしてください。

$2.1 \times \dfrac{1}{3} \div 0.7$

memo

答　確認!!

$2.1 \times \dfrac{1}{3} \div 0.7 = \dfrac{21}{10} \times \dfrac{1}{3} \div \dfrac{7}{10} = \dfrac{21}{10} \times \dfrac{1}{3} \times \dfrac{10}{7} = 1$

ルール12 小数のかけ算は小数点より下のけた数の和をみる

解説 まずは解説をしっかり読もう！

小数のかけ算の内容は ① 小数 × 整数　② 整数 × 小数　③ 小数 × 小数です。下記がその一例です。

```
①   1.4      ②    4 5      ③   7.8
  ×   6         × 5.4         × 6.9
```

計算のやり方は、いずれも、整数 × 整数と思ってやって、その後で小数点より下のけた数をかぞえて小数点を打ちます。

そこで、まず**小数点より下のけた数**という意味をつかみましょう。
1.6 5 では、**小数点より下のけた数　2**
0.4 5 6 では、**小数点より下のけた数　3**

小数のかけ算では、かける数の小数点より下のけた数とかけられる数の**小数点より下のけた数の和をみます。**

第1章 計算が速くてうまくなる 解き方のルール

```
   1.4
×     6
```
では、小数点より下のけた数は1.4が1、
6が0だから、その和は1+0=1とみます。

```
   7.8
× 6.9
```
では、小数点より下のけた数は7.8が1、
7.9が1だから、その和は1+1=2とみます。

この小数点より下のけた数に合わせて、答えの小数点を打ちます。

以下、例と練習で慣れましょう。

例題

1.6×6を計算してください。

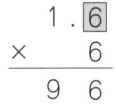

答

```
    1.6
×     6
─────
    9 6
```
➡
```
    1.6
×     6
─────
    9.6
```

まず16×6とみてさしあたり96と計算します。

1.6と6の小数点より下のけた数の和を1とみて、これに合わせて96の小数点より下のけた数が1になるように小数点を打ちます。

答 9.6

例題

2.8 × 1.3 を計算してください。

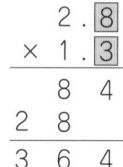

答

```
    2.8
  × 1.3
    8 4
  2 8
  3 6 4
```
➡
```
    2.8
  × 1.3
    8 4
  2 8
  3.6 4
```

まず28×13とみて 364 と計算します。

2.8 と 1.3 の小数点より下のけた数の和を 2 とみて、これに合わせて 364 の小数点より下のけた数が 2 になるように小数点を打ちます。

答　3.6 4

第1章　計算が速くてうまくなる　解き方のルール

練習　実践!!

次の計算をしてください。

① 　2.4
　×3 5

② 　6 6
　×4.3

③ 　7 7
　×2.5

④ 　8.9
　×2.4

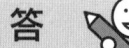

memo

答　確認!!

①
```
      2.4
    × 3 5
    1 2 0
    7 2
    8 4.0
```
☞「0」は省略して「84」

②
```
      6 6
    × 4.3
    1 9 8
  2 6 4
  2 8 3.8
```

③
```
      7 7
    × 2.5
    3 8 5
  1 5 4
  1 9 2.5
```

④
```
      8.9
    × 2.4
    3 5 6
  1 7 8
  2 1.3 6
```

ルール13 小数でわる計算ではわる数を整数に変える

解説　まずは解説をしっかり読もう！

小数でわる計算には、整数 ÷ 小数と、小数 ÷ 小数の2つの場合があります。ポイントは**わる数の小数を整数に変えることです。そしてこれに合わせてわられる数を調整します。**

以下、例と練習で慣れましょう。

例題

14÷0.5 を計算してください。

答

これが、整数 ÷ 小数の場合です。
ポイントは**わる数を整数にする。**
それに**合わせてわられる数を大きくすることです。** ここではわる数0.5を10倍して整数5にします。これに合わせて、わられる数14を10倍して140にします。
結局140÷5を計算します。

```
        28 ←商
0.5)14     5)140
 ×10 ×10     10
              40
              40
               0
```

第 1 章 計算が速くてうまくなる 解き方のルール

例題

9.24÷4.2 を計算してください。

答

これが、小数 ÷ 小数の場合です。
わる数 4.2 を 10 倍にして 42 にします。
これに合わせて、わられる数 9.24 を 10 倍して 92.4 にします。
結局 92.4÷42 を計算します。

```
              2.2
4.2)9.24    42)92.4
 ×10 ×10       84
                8 4
                8 4
                  0
```

92.4÷42 の計算は 924÷42 として、商 22 を出します。
次に 92.4 の小数点に合わせて小数点を打って 2.2 とします。

例題

5.35÷0.6 を計算してください。
ただし、商は整数で求め、余りも出してください。

答

商の求め方はこれまでと同じです。
わる数 0.6 を 10 倍にして 6 にします。
これに合わせて、わられる数 5.35 を 10 倍して 53.5 にします。
問題は余りです。**余りの小数点はわられる数のもとの小数点**、ここでは 5.35 の小数点に合わせて打ちます。

```
              8 ←商
0.6)5.35   6)5.3.5
 👆  👆      4 8     商をみる
×10 ×10   余りをみる    小数点
          小数点 0.5 5
                 余り
```

53.5÷6 の計算で商は 8、余りは 5.35 の小数点に合わせるので 0.55 です。

第1章 計算が速くてうまくなる 解き方のルール

練習1 実践!!

( )をうめてください。
77.5÷3.1の計算ではわる数3.1を(ア)倍して(イ)という整数にします。これに合わせてわられる数 77.5も(ウ)倍して(エ)にします。結局(オ)÷(カ)の計算をします。

memo

答 確認!!

ア 10　　イ 31　　ウ 10　　エ 775　　オ 775　　カ 31

練習2 実践!!

次の計算をしてください。
① 1.7) 7.14　　　② 0.4) 3.4

memo

答 確認!!

①
```
        4.2  ←商
   17 ) 71.4
        68
        ─────
         3 4
         3 4
        ─────
           0
```

②
```
        8.5  ←商
    4 ) 34.
        32
        ─────
         2 0
         2 0
        ─────
           0
```

練習3 実践!!

次の計算をしてください。
ただし商は整数で求め、余りも出してください。

① 1.7) 7.64   ② 1.2) 9.36

memo

答 確認!!

①
$$1.7 \overline{)7.64}$$ ➡
```
          4 ←商
17 ) 7.6.4
     6 8
     0.8 4 ←余り
```

②
$$1.2 \overline{)9.36}$$ ➡
```
          7 ←商
12 ) 9.3.6
     8 4
     0.9 6 ←余り
```

第1章 計算が速くてうまくなる 解き方のルール

ルール14 単位の換算は機械的にかけるかわる

解説 まずは解説をしっかり読もう！

単位の換算とは、たとえば、1kmを1000mに変えることです。

ポイントは km から m に変えるときは、数字を 1→1000 に変える。すなわち、km のときの数値を 1000 倍（×1000）することです。反対に、1000m を 1km に変えるときには数字を 1000→1 に変える。すなわち、m のときの数値を 1000 でわる（÷1000）ことです。

何をかけるか、何でわるか、これだけ着目して機械的に行う。これが換算のコツです。

機械的にやらない場合には、わかりにくい場合が出てきます。
たとえば、9分を時間で表す場合、機械的にやらない人の多くが困るはずです。機械的にやる場合は

60分＝1時間ですから、分→時では、60→1
すなわち、分の数字を60でわります。

9分は $9 \div 60 = \dfrac{9}{60} = \dfrac{3}{20}$ 時間と簡単にできます。

以下、例と練習で慣れましょう。

例題

1m=100cm です。それでは、0.3m は何 cm でしょうか。また 65cm は何 m でしょうか。

答

0.3m を cm で表します。
1m=100cm だから、m→cm のときは 100 をかけます。
0.3×100=30cm です。
65cm を m で表します。
100cm=1m だから、cm→m のときは
100 でわります。65÷100=0.65m です。

練習 実践!!

( )をうめてください。
① 1.25km は何 m でしょうか。
1km=1000m だから（ア）をかけて
（イ）×（ウ）=（エ）m

② 125m は何 km でしょうか。
1000m=1km だから（オ）でわって
（カ）÷（キ）=（ク）km

memo

答 確認!!

ア 1000　イ 1.25　ウ 1000　エ 1250
オ 1000　カ 125　キ 1000　ク 0.125

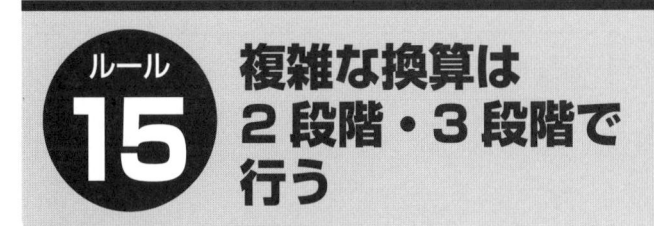

第1章 計算が速くてうまくなる 解き方のルール

ルール15 複雑な換算は2段階・3段階で行う

解説 まずは解説をしっかり読もう！

複雑な換算とは、たとえば2.5kmをcmに変えるような換算です。

この場合まず、1km=1000mより、1000倍して
2.5×1000=2500mとm単位にします。
次に、1m=100cmより、100倍して
2500×100=250000cmとcm単位にします。
このように2段階に換算します。

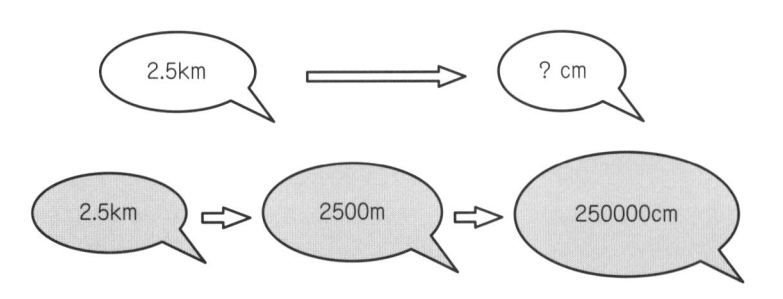

```
2.5km  ⟹  ? cm

2.5km  ⇨  2500m  ⇨  250000cm
```

以下、例と練習で慣れましょう。

例題

面積の単位は下図のようになっています。
このとき ① と ② に答えてください。

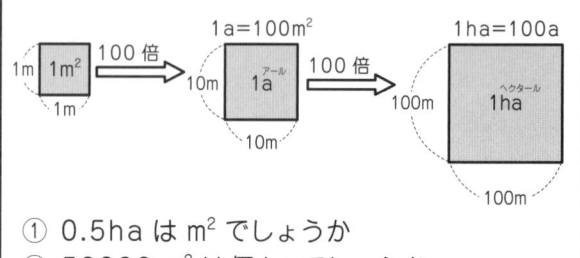

```
1m  1m²    100倍    1a=100m²    100倍    1ha=100a
1m                  10m  1a(アール)            100m  1ha(ヘクタール)
                    10m                        100m
```

① 0.5ha は何 m^2 でしょうか
② 50000 m^2 は何 ha でしょうか

答

① 1ha=100a だから、100 倍して a にします。
 0.5×100=50a
 次に 1a=100 m^2 だから、100 倍して m^2 にします。
 50×100=5000 m^2 です。

② 100 m^2=1a だから、100 でわって a にします。
 50000÷100=500a です。
 100a=1ha だから、100 でわって ha にします。
 500÷100=5ha です。

第1章 計算が速くてうまくなる 解き方のルール

練習1 実践!!

次の ① ② に答えてください。
ただし 1t（トン）=1000kg　1kg=1000g です。
① 0.7 t は何 g でしょうか
② 345600g は何 t でしょうか

memo

答 確認!!

① 1t=1000kg だから、1000 倍して kg にします。
　 0.7×1000=700kg
　 次に 1kg=1000g だから、1000 倍して g にします。
　 700×1000=700000g です。

② 1000g=1kg だから、1000 でわって kg にします。
　 345600÷1000=345.6kg です。
　 1000kg=1t だから、1000 でわって t にします。
　 345.6÷1000=0.3456t です。

練習2 実践!!

次の ① ② に答えてください。
① 2400 秒は何時間でしょうか
② 2 時間 15 分は何秒でしょうか

memo

答 確認!!

① 60 秒 =1 分だから、60 でわって分にします。
2400÷60=40 分
60 分 =1 時間だから、60 でわって時間にします。

$40 \div 60 = \frac{40}{60} = \frac{2}{3}$ 時間です。

② 1 時間 =60 分だから、2 時間を 60 倍して分にします。
2×60=120 分
そこで、2 時間 15 分 =120 分 +15 分 =135 分
次に 1 分 =60 秒だから、60 倍して秒にします。
135×60=8100 秒です。

第2章

速さ・時間・道のりの応用問題が簡単にできる解き方のルール

ルール16 速さ・時間・道のりは ◯ を使う

解説 まずは解説をしっかり読もう！

速さ・時間・道のりについては
有名な下図を覚えて、この使い方に慣れるのがポイントです。

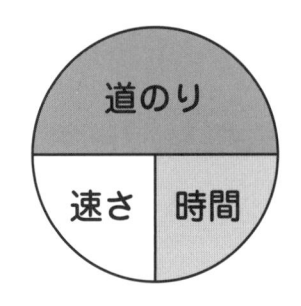

上図は　道のり＝速さ × 時間
　　　　速さ＝道のり ÷ 時間
　　　　時間＝道のり ÷ 速さ　を表します。

以下、例と練習で慣れましょう。

第 2 章 速さ・時間・道のりの応用問題が簡単にできる 解き方のルール

例題 山田さんは 3300m を 15 分で走りました。このとき、山田さんの分速は何 m でしょうか。

答 分速 x m として下図に必要なことをかき込みます。

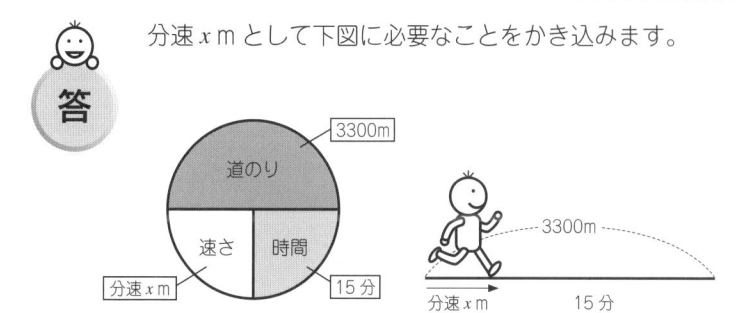

図より、速さ (x) ＝道のり÷時間＝3300÷15＝220

答　分速220m

練習 実践!!

Aさんは875mを分速25mで歩きました。このとき何分かかるでしょうか。

memo

答 確認!!

かかる時間を x 分として下図に必要なことをかき込みます。

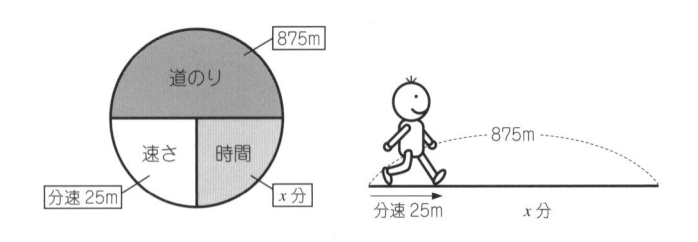

図より、時間 (x) ＝道のり ÷ 速さ＝875÷25＝35

答 35分

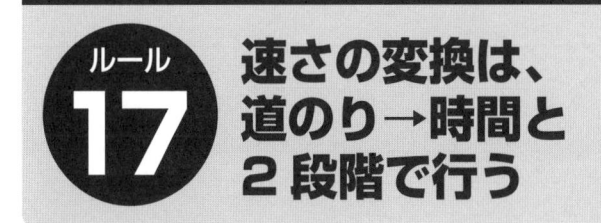

ルール17 速さの変換は、道のり→時間と2段階で行う

解説　まずは解説をしっかり読もう！

速さは、道のり ÷ 時間ですから、道のりと時間の組み合わせでいろいろな表し方ができます。

たとえば、時速3.6km、時速3600m、分速0.06km、分速60m、秒速0.001km、秒速1m、これらは見かけは違いますがみな同じ速さです。

ここでは、時速3.6kmを秒速1mのように時間（時間と秒）と道のり（kmとm）の両方が異なる場合の変換を行います。

ポイントは道のり、次に時間と2段階でやることです。そうすればいとも簡単です。

以下、例と練習で慣れましょう。

例題 時速72kmは、分速何mですか。

答
まず道のりを変えます。
1km＝1000mだから、72kmは
72×1000＝72000m

そこで時速72kmは時速72000m

時速72000mは1時間＝60分で72000m
進む速さです。そこで下図より
速さ＝道のり ÷ 時間＝72000÷60＝1200

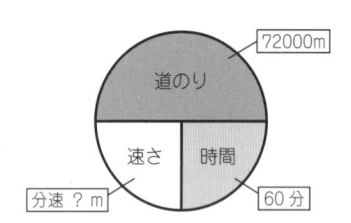

<u>答　分速1200m</u>

第2章　速さ・時間・道のりの応用問題が簡単にできる　解き方のルール

練習　実践!!

1860mの道のりを時速0.9kmで歩くと何分かかるでしょうか。

memo

....

答　確認!!

時速0.9kmを分速〜mに変えます。
まず道のりを変えます。
0.9km→0.9×1000＝900m
時速0.9km＝時速900m　1時間＝60分だから

時速900mは60分で900mいくときの速さです。
速さ＝道のり÷時間＝900÷60＝15
時速0.9km＝分速15mです。
本問は1860mの道のりを分速15mで歩くと何分かかるでしょうか、という問題になります。

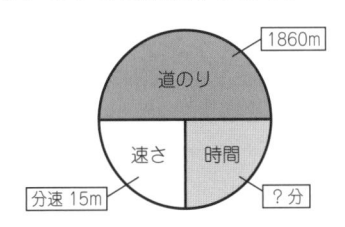

図より、時間＝道のり÷速さ＝1860÷15＝124

答　124分

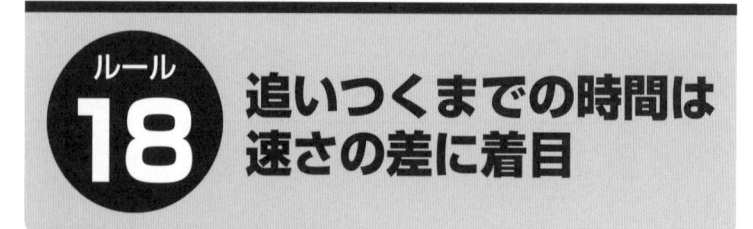

ルール18 追いつくまでの時間は速さの差に着目

解説 まずは解説をしっかり読もう！

追いかけたり、出会ったりする問題を旅人算といいますが、ここでは、そのうちの追いつくまでの時間の問題を取りあげます。

ポイントは速さの差に着目することです。たとえば、120m先にいるAさん（秒速2m）をBさん（秒速5m）が追いかけるとき、1秒間にその速さの差5－2＝3m近づきます。

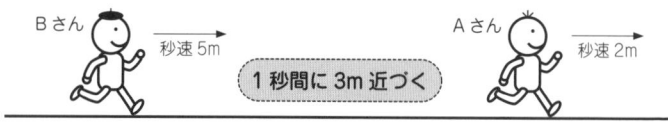

以下、例と練習で慣れましょう。

例題

1200m先を歩くお兄さんを弟が自転車で追いかけます。お兄さんの速さが分速50m、弟の速さが分速250mのとき、弟が追いつくのに何分かかるでしょうか。

答

1分間の速さの差は、250－50＝200mです。
1分間に200mずつ近づくとき、1200m近づく（＝追いつく）時間は、1200÷200＝6

答　6分

第2章　速さ・時間・道のりの応用問題が簡単にできる　解き方のルール

練習　実践!!

2400m先を歩くAさんをBさんが走って追いかけます。Aさんの速さが分速50mのとき、Bさんが追いつくのに30分かかりました。この時Bさんの速さは分速何mでしょうか？

ヒント　Bさんの速さを分速xmとして、方程式を立てて解いてください。

memo

答　確認!!

Bさんの速さを分速xmとすると、1分間の速さの差は$x-50$mです。1分間に$x-50$mずつ近づくとき、2400m近づく（＝追いつく）時間は$2400÷(x-50)$
これが30分だから、

$2400÷(x-50)=30$
下の面積図から　$x-50=2400÷30=80$
下の線分図より　$x=80+50=130$

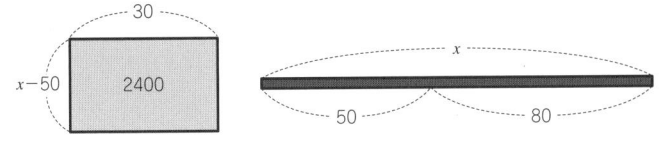

答　分速130m

ルール19 出会うまでの時間は速さの和に着目

解説 まずは解説をしっかり読もう！

ここでは旅人算のうち、出会うまでの時間の問題を取り上げます。
ポイントは、速さの和に着目することです。

たとえば、240m 離れたところにいる A さん（秒速 3m）と B さん（秒速 5m）が反対方向に進んで出会うとき 1 秒間にその速さの和 3＋5＝8m 近づきます。

以下、例と練習で慣れましょう。

例題

A さん、B さん 2 人が周囲 1350m の池の同じ地点から反対方向に歩くとき出会うのに何分かかりますか。ただし A さんは分速 300m、B さんは分速 150m です。

答

1 分間の速さの和は、300＋150＝450m です。
1 分間に 450m ずつ近づくとき、
1350m 近づく（＝出会う）時間は、
1350÷450＝3

答　3分

第 2 章　速さ・時間・道のりの応用問題が簡単にできる　解き方のルール

練習 実践!!

田中さんと山田さんが周囲 1600m ある池の同じ地点から反対方向に歩くとき、出会うのに 5 分かかりました。そして田中さんは分速 200m でした。このとき、山田さんの速さは分速何 m でしょうか。

ヒント　山田さんを分速 x m として、方程式を立てて解いてください。

答 確認!!

山田さんの速さを分速 x m とすると、1 分間の速さの和は $x+200$ m です。1 分間に $x+200$ m ずつ近づくとき、1600m 近づく (＝出会う) 時間は $1600÷(x+200)$
これが 5 分だから、

$1600÷(x+200)=5$
下の面積図から　$x+200=1600÷5=320$
下の線分図より　$x=320-200=120$

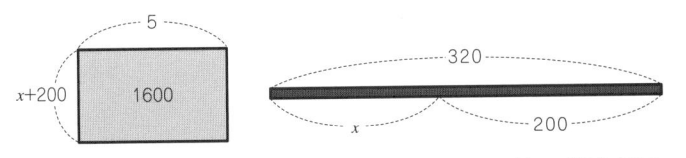

答　分速 120m

このように、出会うまでの時間なら速さの和ということさえ覚えておけば、あとは方程式を立てて面積図と線分図というテクニックで簡単に解けます。

ルール20 時計は1分間に 長針6度 短針0.5度

解説 まずは解説をしっかり読もう!

時計の問題は、分速を角度で表すことに慣れたら、内容は旅人算ですから簡単です。

長針は1時間=60分で 一回転(=360度)します。
そこで1分間に進む角度は、360÷60=6(度)です。

短針は1時間=60分で30度動きます
そこで1分間に進む角度は、30÷60=0.5(度)です。

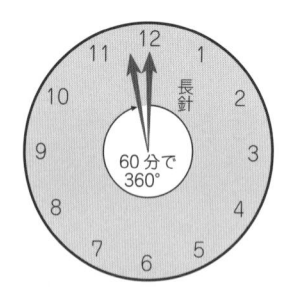

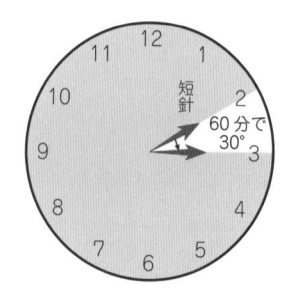

分速0.5度の短針と、分速6度の長針が同じ方向に進みます。**1分間に速さの差6－0.5=5.5度で、近づいて追いつき(重なり)ます。重なったあとは1分間に5.5度ずつ長針が離れていきます。**

以下、例と練習で慣れましょう。

第2章 速さ・時間・道のりの応用問題が簡単にできる 解き方のルール

例題 5時と6時の間で長針と短針が重なる時刻を求めてください。

答 5時の時長針と短針は30×5＝150度離れています。短針は1分間に30÷60＝0.5（度）進み、これを長針が1分間360÷60＝6（度）で追いかけます。

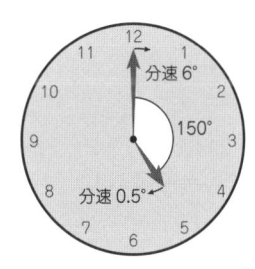

これは、150m離れているBさん（分速0.5m）にAさん（分速6m）が追いつく時間を求める旅人算と同じ内容です。
1分間に6−0.5＝5.5度ずつ近づくから150度近づく（重なる）時間は150÷5.5です。

この計算は $5.5 = 55 \div 10 = \dfrac{55}{10}$ と分数に直してやるほうが楽です。

$$150 \div 5.5 = 150 \div \dfrac{55}{10} = 150 \times \dfrac{10}{55} = \dfrac{300}{11} = 27\dfrac{3}{11}$$

答　5時 $27\dfrac{3}{11}$ 分

練習 実践!!

> 3時と4時の間で長針と短針が重なるまえに、長針と短針が30度になる時刻を求めてください。

memo

....

答 確認!!

3時のとき長針と短針は30×3=90度離れています。そこで、長針と短針が重なるまえに、30度になるのは90−30=60度近づいたときです。

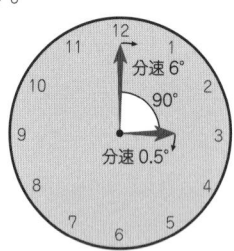

1分間に6−0.5=5.5度ずつ近づくから60度近づく時間は60÷5.5です。

この計算は $5.5 = 55 \div 10 = \dfrac{55}{10}$ と分数に直してやるほうが楽です。

$$60 \div 5.5 = 60 \div \dfrac{55}{10} = 60 \times \dfrac{10}{55} = \dfrac{120}{11} = 10\dfrac{10}{11}$$

答 $3時10\dfrac{10}{11}分$

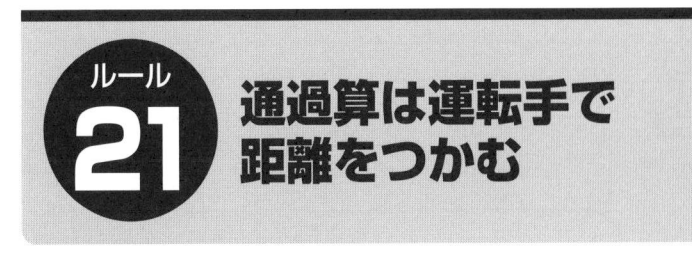

第2章 速さ・時間・道のりの応用問題が簡単にできる 解き方のルール

ルール21 通過算は運転手で距離をつかむ

解説 まずは解説をしっかり読もう！

汽車などが追いついて追い越す。出会ってからすれ違う、トンネルを抜ける、電柱を通り過ぎる等の問題を通過算といいます。

通過算がわかりにくいのは、汽車などに**長さがあるからです。**しかし、汽車がたとえば200m動くとき、運転手も乗客もみんな200m動きます。そこで、**運転手に着目して道のりをつかめば単なる速さ・時間・道のりの問題**になって、簡単に解けます。

たとえば、下図のように汽車がトンネルに入って出るまでを考えるとき、運転手をかき入れると、運転手（＝汽車）が動いた道のりはトンネルの長さ＋汽車の長さとわかります。

こうして道のりをつかむことがコツです。

以下、例と練習で慣れましょう。

例題

長さ120mで秒速40mのA列車が長さ180mで秒速25mのB列車に追いついて追い越すまでの時間を求めてください。

答

追いついた瞬間に着目して運転手a,bをかき入れます。

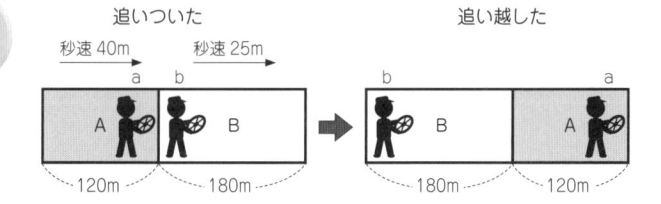

追いついた　　　　　　　　　　追い越した

上図よりa，bが同じところから出発してaがbを
120＋180＝300m引き離すことがわかります。
aとbは1秒間に40－25＝15m離れます。
速さ・時間・道のりの図にかき込みます。

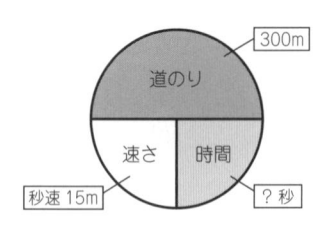

時間＝300÷15＝20

答　20秒

第2章 速さ・時間・道のりの応用問題が簡単にできる 解き方のルール

練習1 実践!!

長さ300mで秒速60mのA列車と長さ210mで秒速25mのB列車が反対方向から来ました。この時、すれちがうのにかかる時間を求めてください。

memo

答 確認!!

出会った瞬間に着目して運転手a, bをかき入れます。

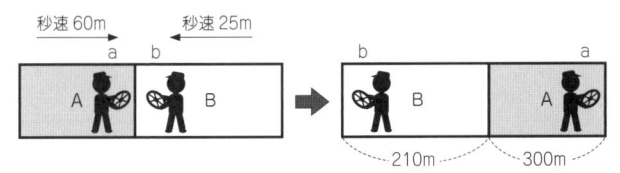

上図よりa, bが同じところから出発して300+210=510m離れることがわかります。
aとbは1秒間に60+25=85m離れます。
速さ・時間・道のりの図にかき込みます。

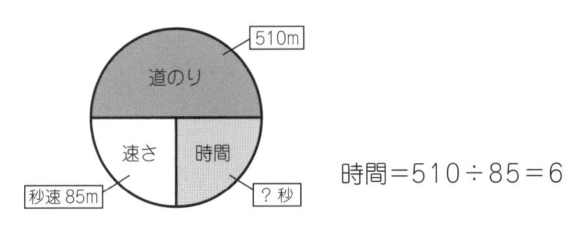

時間=510÷85=6

答 6秒

練習2 実践!!

長さ200mで秒速45mの列車が2050mのトンネルに入りかけて完全に出るまでに何秒かかりますか。

memo

答 確認!!

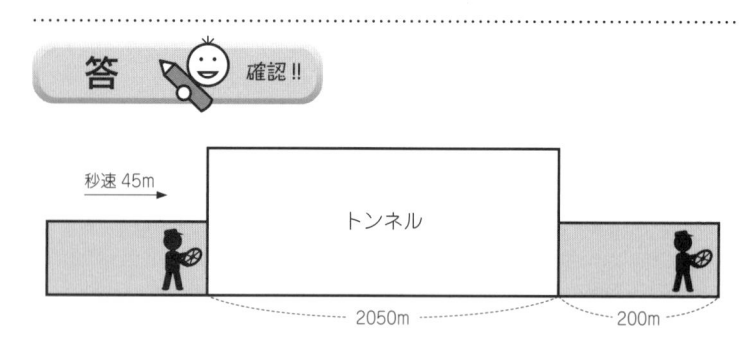

上図より、運転手は 2050＋200＝2250m 進みます。
速さ・時間・道のりの図にかき込みます。

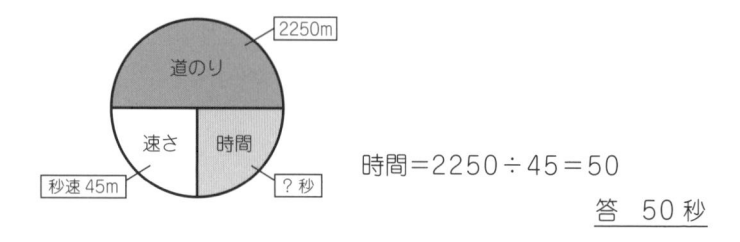

時間＝2250÷45＝50

答　50秒

練習3 実践!!

長さ150mで秒速60mの列車が1050mのトンネルにすっかり隠れているのは何秒でしょうか。

memo

答 確認!!

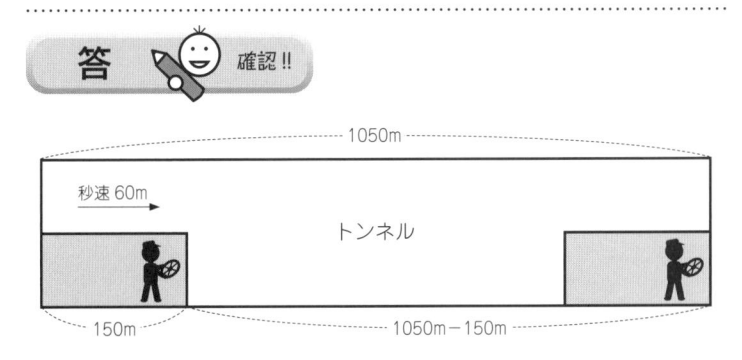

上図より、運転手は1050－150＝900m進みます。
速さ・時間・道のりの図にかき込みます。

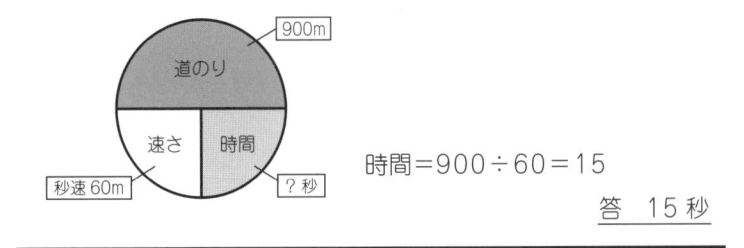

時間＝900÷60＝15

答　15秒

ルール22 流水算
上りの速さ＝船－川
下りの速さ＝船＋川

解説　まずは解説をしっかり読もう！

　流水算は流れのある川を船でこいで下ったり上ったりするような問題です。

　ポイントはたとえば、池（＝静水＝流れのないところ）で毎分30mで船をこぐ人が、毎分10mで流れる川をこの船でこいで上がるときの速さは、下の図のしくみにより分速
船（を静水でこぐ速さ）－川（の流れの速さ）＝30－10＝20m

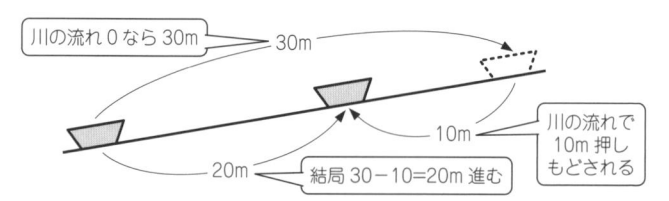

- 川の流れ0なら30m — 30m
- 10m 川の流れで10m押しもどされる
- 20m 結局30－10＝20m進む

　川をこの船でこいで下がるときの速さは下の図のしくみにより分速　船（を静水でこぐ速さ）＋川（の流れの速さ）＝30＋10＝40mとなることです。

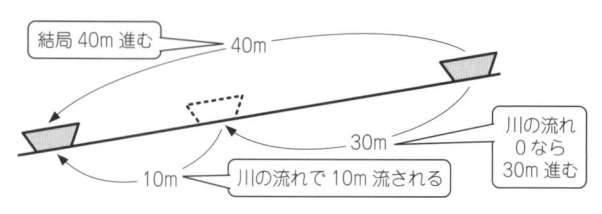

- 結局40m進む — 40m
- 30m 川の流れ0なら30m進む
- 10m 川の流れで10m流される

第 2 章　速さ・時間・道のりの応用問題が簡単にできる　解き方のルール

以下、例と練習で慣れましょう。

例題

川上の A 地点から川下の B 地点まで 1760m 離れています。川の流れの速さは、分速 16m です。この時 A 地点か B 地点まで静水で分速 28m で船をこぐ人がこぎ下がるのに何分かかるでしょうか。

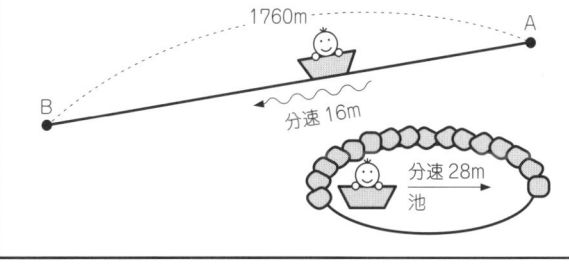

答

船の分速は
船（を静水でこぐ速さ）＋川（の流れの速さ）＝
28＋16＝44m です。
速さ・時間・道のりの図にかき込みます。

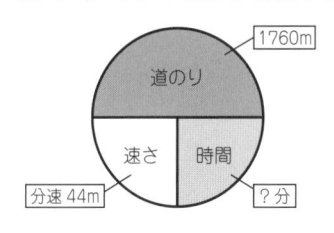

時間＝道のり ÷ 速さ＝1760÷44＝40

<u>　答　40 分</u>

練習 実践!!

川下のB地点から川上のA地点まで690m離れています。川の流れの速さは、分速17mです。このとき、B地点からA地点まで船をこいで上がるのに46分かかりました。この船を静水（池）でこぐときの分速はいくらでしょうか。分速を x m として方程式で解いてください。

memo

答 確認!!

船を静水（池）でこぐときの分速を x m とすると、
船（を静水でこぐ速さ）－川（の流れの速さ）＝ $x-17$
が川をこいで上がるときの分速です。
速さ・時間・道のりの図にかき込みます。

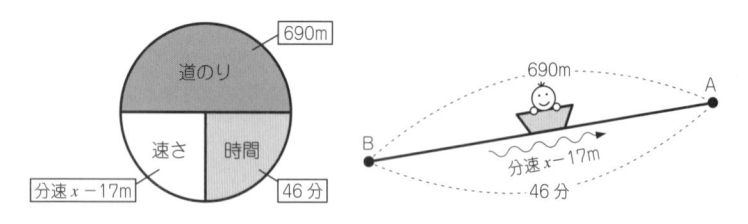

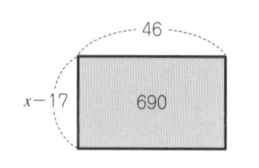

時間＝道のり ÷ 速さ
　　＝ $690 \div (x-17) = 46$
面積図より
$x - 17 = 690 \div 46 = 15$
$x = 15 + 17 = 32$

答　分速32m

第3章

割合と比が
得意分野になる
解き方のルール

ルール23 比べる量÷もとにする量＝割合 「〜は」、が比べる量

解説 まずは解説をしっかり読もう！

割合とは何でしょうか？

たとえば1000円は500円の何倍ですか？　と聞かれたら1000÷500＝2（倍）と計算します。この2倍が割合です。

この計算で、わられる数1000が**比べる量**

わる数500が**もとにする量**です。割合の計算は

比べる量 ÷ もとにする量＝割合　で計算します。

この計算の**ポイントは比べる量をつかむこと**です。

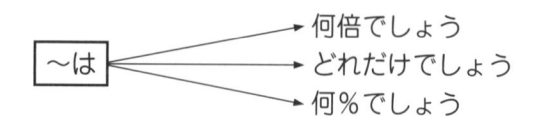

```
              → 何倍でしょう
 〜は  →      → どれだけでしょう
              → 何％でしょう
```

上のような割合に関する文章があったとき、「**〜は**」にあたる部分が**比べる量**です。

これさえつかめば他方がもとにする量ですから、割合の計算は簡単です。

以下、例と練習で慣れましょう。

第3章 割合と比が得意分野になる 解き方のルール

例題

400円は2000円のどれだけですか。

答

400円は2000円のどれだけですか。
「〜は」にあたる部分が比べる量ですから、ここでは
400円が比べる量、他方の2000円がもとにする量です。
割合＝比べる量÷もとにする量
　　　＝400÷2000＝0.2（＝$\frac{1}{5}$）です。

図より、400円は2000円の0.2＝$\frac{1}{5}$になっています。

練習 実践!!

Aさんはカードを12枚、Bさんはカードを60枚持っています。Aさんのカードをもとにすると、Bさんのカードは何倍になるでしょうか。

memo

答 確認!!

「〜は」、にあたる部分が比べる量ですから、ここではBさんのカード60枚が比べる量、他方Aさんのカードがもとにする量です。割合＝比べる量÷もとにする量＝60÷12＝5（倍）です。

ルール24 比べる量ともとにする量は面積図で計算

解説 まずは解説をしっかり読もう!

割合は　比べる量 ÷ もとにする量＝割合　で計算しました。
比べる量と、もとにする量は
比べる量 ÷ もとにする量＝割合　を面積図で表せば簡単です。

15÷3＝5 を図示すると下図のようになります。

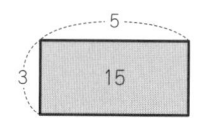

```
       5
   ┌───────┐
 3 │  15   │
   └───────┘
```

この図から、3×5＝15 と 15÷5＝3 も同時にわかります。
同様に、比べる量 ÷ もとにする量＝割合　は下図のように表せます。

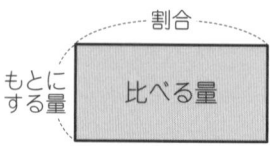

```
          割合
      ┌────────────┐
もとに │            │
する量 │  比べる量  │
      └────────────┘
```

この図から、**もとにする量 × 割合＝比べる量**
　　　　　　比べる量 ÷ 割合＝もとにする量　です。

以下、例と練習で慣れましょう。

第 3 章　割合と比が得意分野になる　解き方のルール

例題

40 個の 3.5 倍は（　　）個です。（　　）の数値を求めてください。

答

（　　）を x とすると、この文は x **は** 40 個の **3.5 倍です**、という内容です。「〜は」にあたるのが比べる量ですから、比べる量は x、もとにする量は 40 個、割合は 3.5 倍です。

比べる量÷もとにする量＝割合　にもとづいて
面積図は下図のようになります。

割合
3.5

もとにする量 40

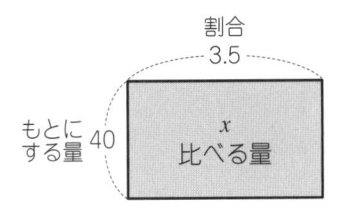

x
比べる量

図より　$x = 40 \times 3.5 = 140$

答　140

練習 実践!!

リレーのメンバーに選ばれたのは6人ですがこれはクラスの $\frac{1}{6}$ にあたります。クラスの人数は何人でしょうか。

memo

答 確認!!

クラスの人数を x 人とすると、この文は

<u>6人は</u> x 人の $\frac{1}{6}$ です、という内容です。

「〜は」にあたるのが比べる量ですから、比べる量は6人

もとにする量は x 人、割合は $\frac{1}{6}$ です。

```
              割合
              1/6
      ┌─────────────┐
もとに │    6人      │
する量 x│  比べる量   │
      └─────────────┘
```

図より $x = 6 \div \frac{1}{6} = 6 \times \frac{6}{1} = 36$

<u>答　36人</u>

ルール 25 小数→％は ×100 ％→小数は ÷100

解説 まずは解説をしっかり読もう！

私たちにとって割合は、何倍、何分の一というより日常生活では％（パーセント）でかかわることが多いようです。

たとえば、スーパーで買い物をしたとき、レシートに消費税の 5％ 分がのっていますし、バーゲンセールでは 20％ OFF、50％OFF などのかき込みを見かけます。

そして、小数→％、％→小数は、単位の換算と同じように機械的にやります。

小数→％は ×100、％→小数は ÷100 です。

たとえば、0.02→0.02×100＝2％、35％→35÷100＝0.35

以下、例と練習で慣れましょう。

例題

A中学校の生徒は560人です。このうちスポーツクラブに入っている人は112人です。スポーツクラブに入っている人は生徒全部の何％でしょうか。

答

「〜は」、にあたるところが**比べる量**ですから比べる量は112（人）、他方の560人がもとにする量です。
割合＝比べる量 ÷ もとにする量＝112÷560＝0.2
これを％に変えます。0.2×100＝20

答　20％

例題

90個は（　）個の15%です。
（　）に入る数値を求めてください。

答

まず%を小数に変えます。
15% → 15÷100＝0.15
（　）をxとすると90個はx個の0.15という内容です。
「〜は」、にあたるのが**比べる量**ですから、ここでは90個が比べる量、もとにする量はx個、割合は0.15です。

比べる量÷もとにする量＝割合　の面積図は下図のようになります。

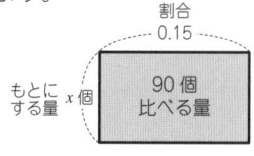

```
                割合
              ‑‑0.15‑‑
  もとに  x個 │ 90個   │
  する量     │ 比べる量 │
```

図より　$x＝90÷0.15＝600$

答　600

以上のポイントを整理しましょう。

◆ 割合（%）を求める問題では
比べる量÷もとにする量＝割合で計算してから
×100で%に変えます。

◆ 比べる量と、もとにする量を求める問題では
%を、÷100で小数に直したあと面積図で解決します。

第3章 割合と比が得意分野になる 解き方のルール

練習1 実践!!

60台仕入れた携帯のうち18台が売れ残りました。売れ残った携帯は仕入れた携帯の何％でしょうか。

memo

答 確認!!

比べる量は18台　もとにする量は60台
割合＝比べる量 ÷ もとにする量＝18÷60＝0.3
0.3×100＝30（％）

答　30％

練習2 実践!!

> 450人の12%は（　）人です。
> （　）に入る数値を求めてください。

memo

答 確認!!

12% → 12÷100＝0.12

（　）を x とすると

x 人は450人の0.12という内容です。

「**〜は**」、にあたるのが**比べる量**ですから、ここでは x 人が比べる量、もとにする量は450人、割合は0.12です。

比べる量 ÷ もとにする量＝割合　にもとづいて面積図は下図のようになります。

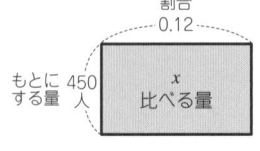

```
                     割合
                     0.12
           ┌──────────────┐
    もとに 450│      x      │
    する量  人│    比べる量   │
           └──────────────┘
```

図より　$x = 450 \times 0.12 = 54$

答　54

第3章 割合と比が得意分野になる 解き方のルール

ルール26 食塩水の濃度は子ども（塩）と大人（水）のグループで考える

解説 まずは解説をしっかり読もう！

　食塩水というと苦手な人が多いようですが、その原因は、食塩が水に溶けて見えなくなるからです。しかし内容は割合ですから、知れています。

　以下のように食塩水を目で見えるかたちに置き換えると簡単です。

食塩　　⇔　　子どもの人数
水　　　⇔　　大人の人数
食塩水　⇔　　子どもと大人を合わせたグループの人数

　このように対応させると、食塩5gを水15gに溶かしてできた食塩水の濃度は何%ですかという問題は、（子ども5人、大人15人の　計20人のグループで**子どもは**グループの**何%ですか**という問題）に対応しますから単なる割合の問題です。

「**〜は**」、にあたる子どもの人数5が比べる量
　他方グループの人数20がもとにする量
　割合＝比べる量÷もとにする量＝5÷20＝0.25
　⇒　25%です。

食塩水の問題を考えるときこの対応で考えれば簡単です。
以下、例と練習で慣れましょう。

例題

食塩 25g を 100g の水に溶かすと何％の食塩水ができますか。

答

まず対応を考えます。
子ども 25 人と大人 100 人の合計 125 人のグループで子ども（25 人）はグループ（125 人）の何％ですか。この対応を考えながら解きます。

「〜は」、にあたるのが**比べる量**ですから、ここでは比べる量は 25g、他方の 125g がもとにする量です。

割合＝比べる量 ÷ もとにする量＝25 ÷ 125＝0.2
これを％に変えます。0.2 × 100＝20

<u>答　20％</u>

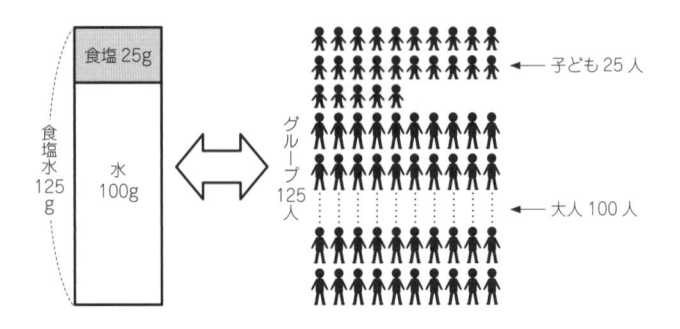

第 3 章　割合と比が得意分野になる　解き方のルール

例題　12％食塩水200ｇに含まれる食塩は何gでしょうか。

答

まず対応を考えます。
子どもはグループの12％です。子どもは何人ですか。
この対応を考えながら解きます。

食塩を x g とすると食塩 x g は食塩水 200g の 12％という内容です。

「**〜は**」、にあたるのが**比べる量**ですから、ここでは x g が比べる量、もとにする量は食塩水 200g、割合は12％を小数にして、12÷100＝0.12 です。

ここでルール 24 の比べる量 ÷ もとにする量 ＝ 割合の面積図を使います。

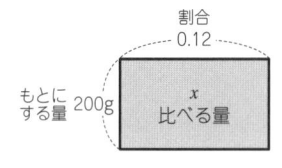

図より　$x=200×0.12=24$

答　24g

練習 実践!!

20％食塩水があります。この中に含まれている食塩は50gです。では食塩水は何gあるのでしょうか。また水は何gあるのでしょうか。

memo

答 確認!!

まず対応を考えます。
子どもはグループの20％で子どもは50人です
グループは何人？　大人は何人？
この対応を考えながら解きます。

食塩水を x g とすると食塩は x g の 20％ （=0.2）

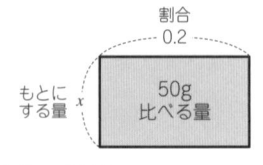

```
                    割合
                 ---0.2---
           ┌─────────────┐
    もとに │     50g     │
    する量 $x$│   比べる量   │
           └─────────────┘
```

図より　$x = 50 \div 0.2 = 250$
　　　　食塩水＝食塩＋水で　食塩水＝250g　食塩＝50g
　　　　水は 250－50＝200

答　食塩水 250g　水 200g

第3章　割合と比が得意分野になる　解き方のルール

ルール27 かけるとわるで比を簡単にする

解説 まずは解説をしっかり読もう！

◆ 比という表し方

太郎君はりんごを 10 個、次郎君はりんごを 5 個もっているとします。

このとき、太郎君と次郎君のりんごの個数の関係の表し方には 2 通りあります。

そのひとつは、これまで見てきた割合です。

太郎君のりんごは次郎君のりんごのどれだけですか？

$10 \div 5 = 2$（倍）

次郎君のりんごは太郎君のりんごのどれだけですか？

$5 \div 10 = \dfrac{5}{10} = \dfrac{1}{2}$ です。

もうひとつの表し方が比です。

比はもっと直接的な表し方です。

太郎：次郎＝10：5（10 対 5 と読みます）のように表します。（10 と 5 の関係といった感じです）

◆ 比を簡単にする

前ページの太郎：次郎＝10：5 は
10：5＝(10÷5)：(5÷5)＝2：1 のように
簡単な（整数の）比にすることができます。

太郎　　　　　　　　　　　　次郎

図からも 10：5＝2：1 です。このように、**できるだけ小さい整数の比にすることを比を簡単にするといいます。**
比を簡単にするのには、いくつかの場合があります。
以下、例と練習で慣れましょう。

| 例題 | 20：75 を簡単にしてください。 |

| 答 | 20 と 75 を最大公約数 5 でわります。
20：75＝(20÷5)：(75÷5)
　　　　＝4：15 |

第3章 割合と比が得意分野になる 解き方のルール

例題　0.4 : 1.2 を簡単にしてください。

答

さしあたり、10 をかけて整数の比にします。
0.4 : 1.2 =（0.4×10）:（1.2×10）= 4 : 12

次に 4 と 12 の最大公約数 4 でわります。
4 : 12 =（4÷4）:（12÷4）= 1 : 3

まとめてかくと、

　　　　　×10　　　÷4
0.4 : 1.2 = 4 : 12 = 1 : 3

例題　$\frac{1}{6} : \frac{1}{9}$ を簡単にしてください。

答

$$\frac{1}{6} : \frac{1}{9} = \frac{3}{18} : \frac{2}{18} = \left(\frac{3}{18} \times 18\right) : \left(\frac{2}{18} \times 18\right)$$

$$= 3 : 2$$

通分

練習1 実践!!

36 : 48 を簡単にしてください。

答 確認!!

36 : 48 =（36÷12）:（48÷12）= 3 : 4

練習2 実践!!

0.7 : 2.1 を簡単にしてください。

答 確認!!

×10　÷7

0.7 : 2.1 = 7 : 21 = 1 : 3

練習3 実践!!

$\frac{5}{8} : \frac{3}{5}$ を簡単にしてください。

答 確認!!

$$\frac{5}{8} : \frac{3}{5} = \frac{25}{40} : \frac{24}{40} = \left(\frac{25}{40} \times 40\right) : \left(\frac{24}{40} \times 40\right)$$
$$= 25 : 24$$

第3章 割合と比が得意分野になる 解き方のルール

ルール28 A:B の比の値は $\frac{A}{B}$

解説 まずは解説をしっかり読もう！

A:B の比の値は $\frac{A}{B}$ です。

これは A は B のどれだけですかという意味です。
以下、例と練習で慣れましょう。

例題
次の比の値を求めてください。
① 5:15　　② 0.8:2.4

答

① A:B の比の値は $\frac{A}{B}$ だから

5:15 の比の値は $\frac{5}{15} = \frac{1}{3}$

② まず比を簡単にします。

$$0.8 : 2.4 \xrightarrow{\times 10} 8 : 24 \xrightarrow{\div 8} 1 : 3$$

そこで、0.8:2.4 の比の値は 1:3 の比の値だから $\frac{1}{3}$

105

練習1 実践!!

次の比の比の値を求めてください。
① 8:12   ② 0.3:0.9

memo

答 確認!!

① $\dfrac{8}{12} = \dfrac{2}{3}$ ② 0.3:0.9 $\xrightarrow{\times 10}$ 3:9 $\xrightarrow{\div 3}$ 1:3 より $\dfrac{1}{3}$

練習2 実践!!

田中さんのクラスは 45 人です。このうち男子は 25 人 女子は 20 人です。以下の問に答えてください。
① 男子と女子の比
② 男子とクラスの人数の比
③ 女子とクラスの人数の比の比の値

memo

答 確認!!

① 25:20=5:4   ② 25:45=5:9
③ 女子:クラス =20:45=4:9   の比の値だから $\dfrac{4}{9}$

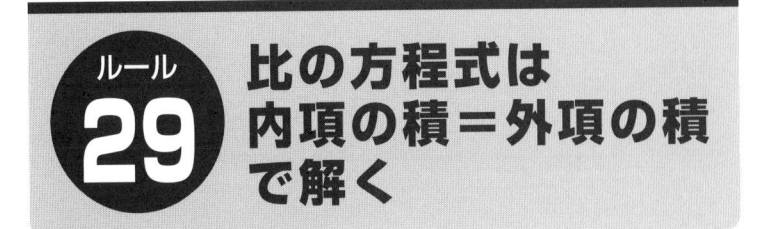

ルール29 比の方程式は内項の積＝外項の積で解く

解説 まずは解説をしっかり読もう！

比の方程式とは、$1:3=x:5$ のような方程式です。
この方程式は、内項の積＝外項の積で解きます。
そこでまず、内項と外項から説明します。

Ⓐ:Ⓑ=Ⓒ:Ⓓ の Ⓑ と Ⓒ が内項 Ⓐ と Ⓓ が外項です。

次は、内項の積＝外項の積　です。
$1:2=2:4$ と $2:4=3:6$　について見てみましょう。

　　　　　　　　　　　　　　　内項の積＝外項の積
①:②=②:④　⇒　②×②=①×④

　　　　　　　　　　　　　　　内項の積＝外項の積
②:④=③:⑥　⇒　④×③=②×⑥

比が等しい時、内項の積＝外項の積
(□×□=○×○) が成り立ちます。
以下、例と練習で慣れましょう。

例題 1：3＝4：x の x を求めてください。

答
①：③＝④：(x)　内項の積＝外項の積だから
③×④＝①×(x) ⟹ $x=12$

例題 本を読んでいます。読んだページ数と残りのページ数の比は 7：8 で、読んだページ数は 49 ページです。残りのページ数は何ページでしょうか。

答
残りのページ数を x ページとすると
7：8＝49：x　　内項の積＝外項の積　だから
⑧×㊽＝⑦×(x) ⟹ $392=7×x$

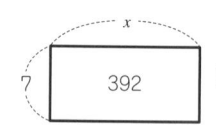

7 | 392 |　　☞ $x=392÷7=56$

答　56 ページ

第3章 割合と比が得意分野になる 解き方のルール

練習1 実践!!

> $2:5=x:160$ の x を求めてください。

memo

答 確認!!

②:⑤=x:⑯ 内項の積＝外項の積だから

⑤×x=②×⑯ ⇨ $5 \times x = 320$ ⇨ $x = 320 \div 5 = 64$

練習2 実践!!

> バス旅行の申込者をしらべたところ、大人と子どもの人数の比が13：25で、大人は39人でした。
> このとき子どもの人数を求めてください。

memo

答 確認!!

子どもの人数を x 人とすると

$13:25=39:x$　　内項の積＝外項の積　だから

㉕×㊳=⑬×ⓧ ⇨ $975 = 13 \times x$

$x = 975 \div 13 = 75$　　　答　75人

ルール30 比例配分は線分図で考える

解説 まずは解説をしっかり読もう！

比（割合）に応じて分けることを比例配分といいます。
比例配分の問題は線分図をかいて考える、これがポイントです。

たとえば、本を読むとき、読んだページと残りのページの比が3：5なら、下のような線分図をかきます。

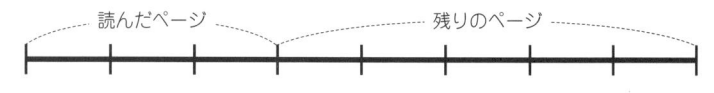

```
|---読んだページ---|---残りのページ---|
```

以下、例と練習で慣れましょう。

例題

45人のクラスで女子：男子が2：3のとき、女子の人数を求めてください。

答

線分図をかきます。

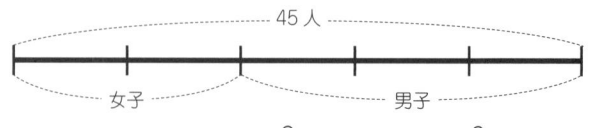

```
|------45人------|
|--女子--|--男子--|
```

図より、女子はクラスの $\dfrac{2}{5}$ だから、$45 \times \dfrac{2}{5} = 18$

<u>答　18人</u>

第3章 割合と比が得意分野になる　解き方のルール

練習1　実践!!

田中君の学校の生徒数は273人で、今日の欠席者と出席者の人数の比は2：11です。
出席者の人数は何人でしょうか。

memo

答　確認!!

線分図をかきます。

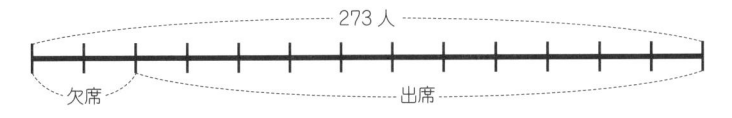

```
|---|---|---|---|---|---|---|---|---|---|---|---|---|
        |------------------- 273人 -------------------|
  欠席          出席
```

図より、出席者は生徒数の $\dfrac{11}{13}$ だから、$273 \times \dfrac{11}{13} = 231$

<u>答　231人</u>

練習2 実践!!

Aさんには小学生、中学生、高校生の3人の子どもがいます。パチンコに勝ったので、儲けの一部4500円を子どもたちにお小遣いとしてあげることにしました。
小中高にあげる金額の比を2：3：4とするとき、高校生にはいくらあげることになるでしょうか。

memo

答 確認!!

線分図をかきます。

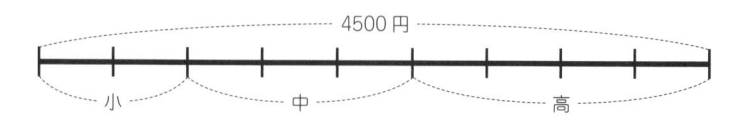

図より、高校生は3人おこづかいの$\frac{4}{9}$だから、
$4500 \times \frac{4}{9} = 2000$

<u>答　2000円</u>

第4章

文章題がツボにはまって スラスラわかる 解き方のルール

ルール31 和差算は2本線分図をかく

解説 まずは解説をしっかり読もう!

ここでは、大きい数と小さい数の和と差が与えられたとき大きい数と小さい数を求める問題をやります。

たとえば、大きい数と小さい数の和が25で差が5の場合、まず①のような2本線分図をかきます。大と小の長さの和が25、差が5です。

このあと、②のように小に5（点線）をたせば和が25＋5＝30となりますが、これは大の2倍です。

③のように大から5（点線）をひけば和が25－5＝20となりますが、これは小の2倍です。

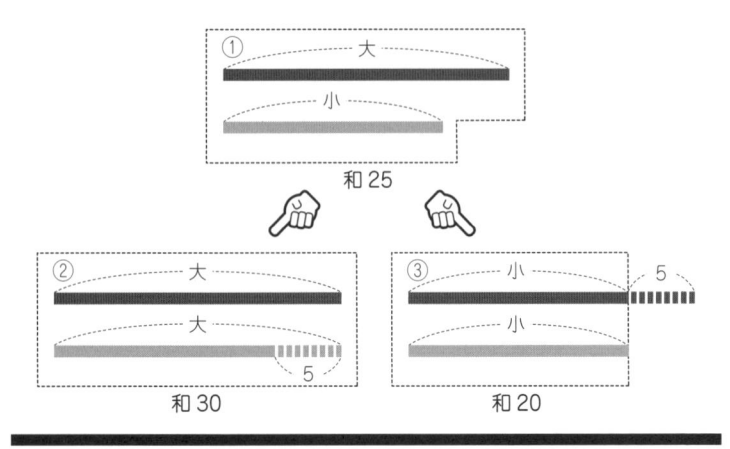

① 和25

② 和30

③ 和20

第4章 文章題がツボにはまってスラスラわかる 解き方のルール

和差算では前ページのように ① をかいたあと、短い線分または長い線分のいずれかに合わせるように調節します。これがポイントです。

以下、例と練習で慣れましょう。

例題

120m² の土地を 2 つに分けて、一方を他方より 10m² 大きくなるようにすると、大きいほうの面積は何 m² になりますか。

答

大きい面積と小さい面積の和が 120m²
大きい面積と小さい面積の差が 10m²

和差算だから ① の 2 本線分図をかきます。大きいほうを求めるから ② のように小に 10(点線)をたします。和が 120+10=130 となりますが、これが大の 2 倍だから 大=130÷2=65

答 65m²

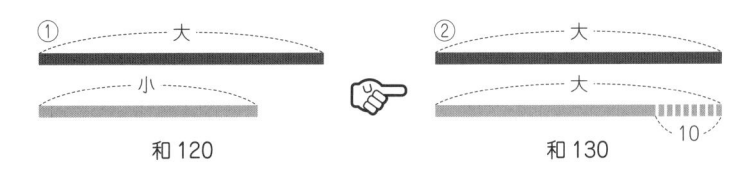

① 大
  小
  和 120

② 大
  大
  　　10
  和 130

練習1 実践!!

昼の長さが、夜の長さより3時間長いとき、夜の長さはいくらですか？

memo

答 確認!!

昼と夜の和が24時間、昼と夜の差が3時間

和差算だから①の2本線分図をかきます。ここでは夜の長さ（小）を求めてみましょう。
②のように大（昼）から3時間（点線）ひけば和が24－3＝21時間になりますが、これが小（夜）の2倍だから
小＝21÷2＝10.5

<u>答　夜10.5時間</u>

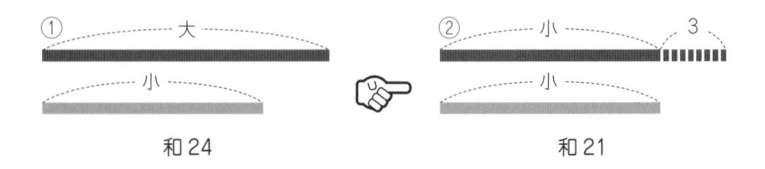

① 大 / 小　和24
② 小 / 3 / 小　和21

第4章 文章題がツボにはまってスラスラわかる 解き方のルール

練習2 実践!!

ある真分数の分母と分子の差は15 で、分母と分子の和は55 です。この分数を求めて約分しなさい。

memo

答 確認!!

分母と分子の和が55、分母と分子の差は15
真分数だから、分母が大、分子が小

和差算だから ① の2本線分図をかきます。ここでは分母(大)を求めてみましょう。
② のように分子(小)に15をたせば、和が55+15=70になりますが、これが分母(大)の2倍だから
分母=70÷2=35　　分子=35－15=20

$\dfrac{分子}{分母} = \dfrac{20}{35} = \dfrac{4}{7}$

答 $\dfrac{4}{7}$

① 大 / 小　和55
② 大 / 大　15　和70

ルール32 集合算はベン図をかく

解説 まずは解説をしっかり読もう!

集合算は下のようなベン図をかいて解決します。
ここでは、兄がいる人と、姉がいる人にかんする図で説明します。

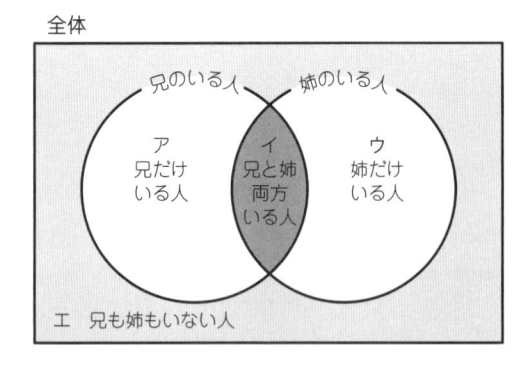

```
全体
┌─────────────────────────────┐
│   兄のいる人    姉のいる人        │
│    ┌───┐ ┌───┐              │
│    │ ア  │イ│ ウ  │              │
│    │兄だけ│兄と姉│姉だけ│          │
│    │いる人│両方 │いる人│          │
│    │    │いる人│    │          │
│    └───┘ └───┘              │
│                             │
│ エ 兄も姉もいない人              │
└─────────────────────────────┘
```

ポイントは、上図のようにア , イ , ウ , エの4つの部分に分けることです。

そうすると、ア+イが兄のいる人、ウ+イが姉のいる人、

ア+イ+ウが兄または姉のいる人(兄と姉の少なくとも一方がいる人)、

ア+イ+ウ+エ=全体 です。

第4章　文章題がツボにはまってスラスラわかる　解き方のルール

　問題によっては、前ページエの兄も姉もいない人、がない問題も出ます。そういう場合は、全体を表す四角のわくがない下図をかきます。この場合はアイウの3つの部分に分けます。

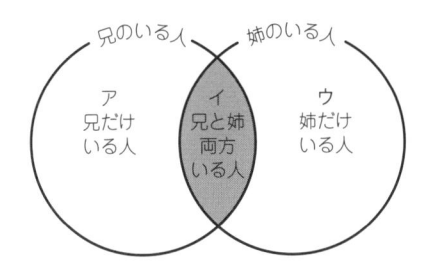

```
        兄のいる人   姉のいる人
          ア      イ      ウ
        兄だけ  兄と姉   姉だけ
        いる人  両方    いる人
                いる人
```

　ア＋イが兄のいる人
　ウ＋イが姉のいる人
　ア＋イ＋ウが兄または姉のいる人（兄と姉の少なくとも一方がいる人）

　結局ア，イ，ウ，エの4つの部分に分ける、あるいはアイウの3つの部分に分けて考えます。
　そうするとダブリがないので応用が利きます。
　以下、例と練習で慣れましょう。

| 例題 | 30人のクラスで野球の好きな人は18人、サッカーの好きな人は23人、どちらも好きでない人は4人でした。では野球とサッカーのどちらも好きな人は何人でしょうか。 |

| 答 | ベン図をかいてアイウエに分けます。そしてわかっている数字をかき込みます。 |

30人

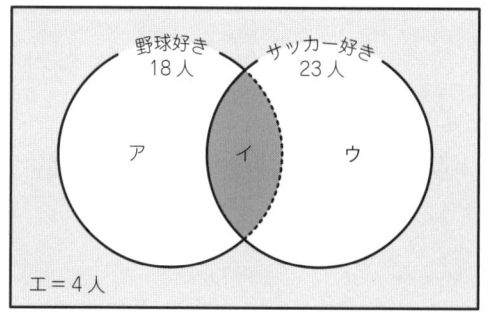

野球好き 18人　サッカー好き 23人

ア　イ　ウ

エ＝4人

上図より野球の好きな人　　ア＋イ＝18………①
サッカーの好きな人　　ウ＋イ＝23………②
野球またはサッカーの好きな人
ア＋イ＋ウ＝30－4＝26………③

ここからはわかるところから求めます。
①と③から、ウ＝26－18＝8
これを②に代入すると、ウ＋イ＝8＋イ＝23
イ＝23－8＝15

答　15人

第4章　文章題がツボにはまってスラスラわかる　解き方のルール

練習1　実践!!

50人のクラスで虫歯の人が26人、近視の人が15人虫歯で近視の人が5人でした。どちらでもない人は何人ですか。

memo

答　確認!!

ベン図をかきます。

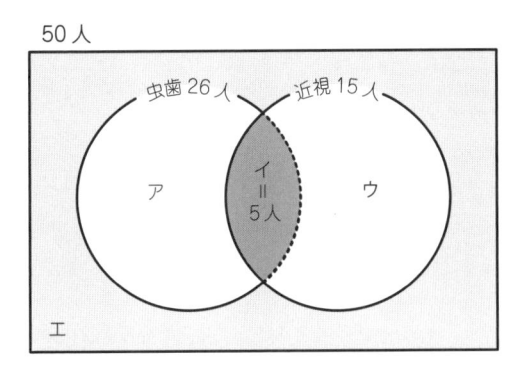

50人

虫歯26人　近視15人

ア　イ＝5人　ウ

エ

わかるとこから手をつけます。
虫歯の人　　ア＋5＝26　　ア＝26－5＝21
近視の人　　ウ＋5＝15　　ウ＝15－5＝10

ア＋イ＋ウ＝21＋5＋10＝36
エ＝50－36＝14　　　　　　　　　　　　　　　答　14人

練習2 実践!!

田中さんのクラスは全部で 40 人です。英語の好きな人は28 人、英語と国語両方好きな人は5人。
英語と国語のどちらも嫌いという人はいません。
では国語の好きな人は何人でしょう。

memo

答 確認!!

ベン図をかきます。

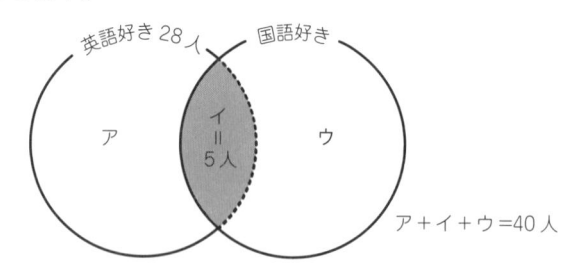

英語好き28人　国語好き

ア　イ＝5人　ウ

ア＋イ＋ウ＝40人

わかるとこから手をつけます。
ア＋5＝28　　**ア**＝28－5＝23
ア＋5＋ウ＝23＋5＋ウ＝40
　　　　　　　ウ＝40－28＝12
国語の好きな人　ウ＋イ＝12＋5＝17　　　　答　17人

第4章 文章題がツボにはまってスラスラわかる 解き方のルール

ルール33 ニュートン算は出る量－入る量＝へる量

解説 まずは解説をしっかり読もう！

　ニュートン算というのは、身近な例でいえば所持金が10万円の人が毎日の生活に6000円かかるとき毎日の収入が4000円なら所持金がなくなるのに何日かかりますか？　というような問題です。

6000円出る　　　　　　　　　　　　4000円入る

⇩　2000円ずつ減っていく

出る量－入る量＝へる量です。

　ニュートン算には、多少のバリエーションがあります。
　たとえば、映画館の列の問題で1分間にあらたに10人が列に加わるとき、1分間に20人ずつ入れる入り口がひとつの場合、1分間に列は20－10＝10人ずつへりますが、この入り口を2箇所にすると、出る量＝20×2＝40（人）
　入る量は10人ですから、1分間に列の人数は40－10＝30（人）ずつへっていきます。
　この場合も　**出る量－入る量＝へる量**です。
　以下、例と練習で慣れましょう。

例題

水そうに水が 420ℓ 入っています。水道の蛇口から毎分 6ℓ の割合で水を入れながらポンプで水をくみ出すと、35 分で水そうは空になります。ポンプが水をくみ出す割合は毎分何ℓ ですか。

答

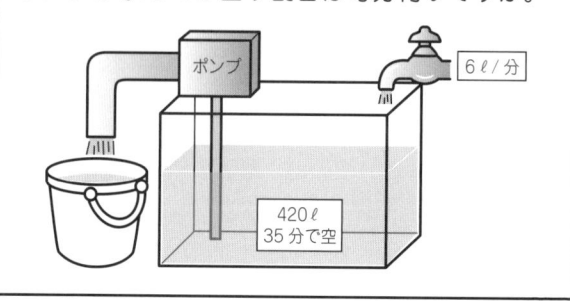

420ℓ の水が 35 分でなくなりましたから
1 分あたりの **へる量＝出る量－入る量** は
420÷35＝12 です。

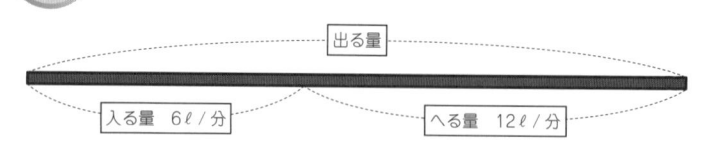

線分図より、出る量＝6＋12＝18

<u>答　毎分 18ℓ</u>

第4章　文章題がツボにはまってスラスラわかる　解き方のルール

練習　実践!!

映画館の入り口に240人並んでいます。行列は毎分8人ずつ増えていきますが、ひとつの窓口で売り始めたら20分で行列はなくなりました。最初から窓口を2つにしたら、何分で行列はなくなりますか。

memo

答　確認!!

240人の行列が20分でなくなりましたから
1分あたりの**へる量＝出る量－入る量**は
240÷20＝12　です。

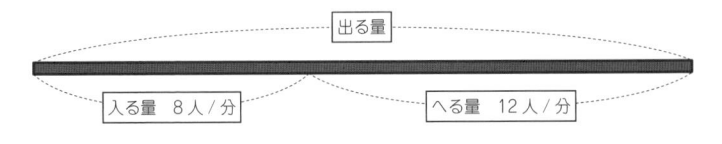

```
                        出る量
━━━━━━━━━━━━━━━━━━━━━━━━━━━
   入る量　8人/分              へる量　12人/分
```

線分図より、出る量＝8＋12＝20

窓口を2つにすると、出る量＝20×2＝40
入る量は8だから、**へる量＝出る量－入る量**＝40－8＝32
行列がなくなる時間は、240÷32＝7.5　　　　答　7.5分

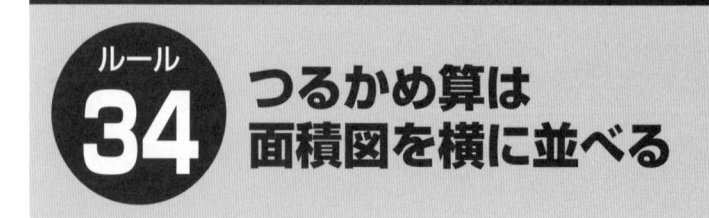

ルール34 つるかめ算は面積図を横に並べる

解説 まずは解説をしっかり読もう!

ここでは以下のようなつるかめ算の解き方をやります。

つるとかめが合わせて8匹いて、その足の合計は20本です。つるとかめはそれぞれ何匹いますか。

つるを□匹、かめを△匹とすると、つるとかめの足の数は、下のような面積図で表せます。

2本/1匹 つるの足の数 □匹

4本/1匹 かめの足の数 △匹

これを①のように横に並べます。

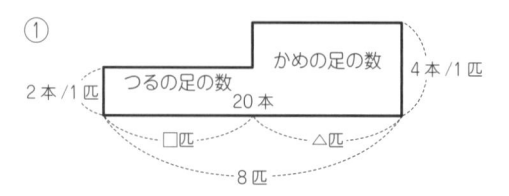

①
2本/1匹 つるの足の数 かめの足の数 4本/1匹
20本
□匹 △匹
8匹

図をかくときのポイントは、**縦に単位あたりの量**(ここでは2本／1匹、4本／1匹)。**横に個数**(ここでは匹数)**をとる**ことです。

第4章 文章題がツボにはまってスラスラわかる 解き方のルール

面積図は ① のようにかいたあと、② また ③ の形に整理して
の部分に着目して解きます。

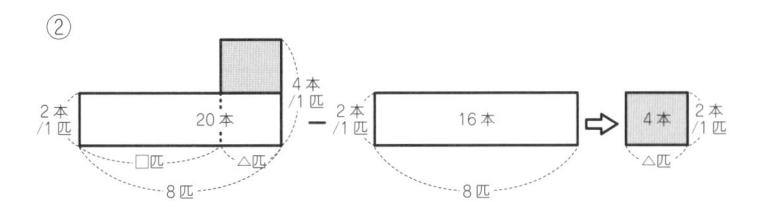

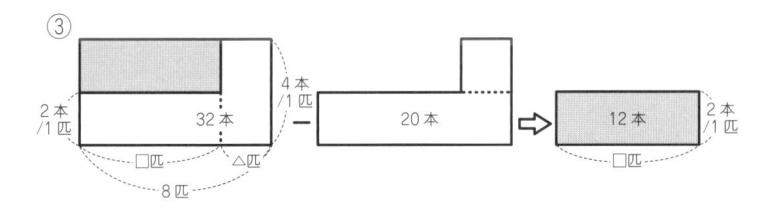

②

③

以下、例と練習で慣れましょう。

例題

80円のえんぴつと100円のボールペンを合わせて24本買って2200円払いました。それぞれ何本買ったのでしょうか。

答

えんぴつを□本、ボールペンを△本として図1をかきます。

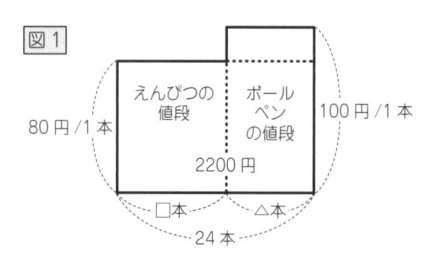

図1

ここでは図2の形に整理して解いてみます。

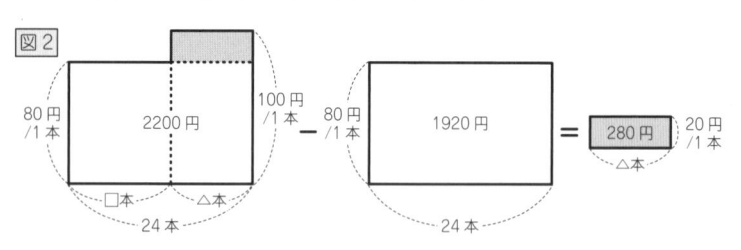

図2

図より　△＝280÷20＝14
　　　　□＝24－14＝10

答　えんぴつ10本
　　ボールペン14本

第4章 文章題がツボにはまってスラスラわかる 解き方のルール

練習 実践!!

1個80円のアメと1個50円のガムを合わせて20個買ったところ、代金の合計が1360円になりました。それぞれ何個買いましたか。

memo

答 確認!!

アメを□個、ガムを△個として図1をかきます。

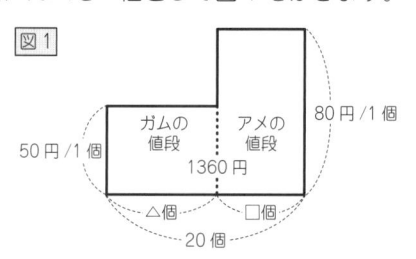

図1

```
          ┌─────┬─────┐
          │ガムの│アメの│ 80円/1個
50円/1個  │値段  │値段  │
          │      │      │
          └─────┴─────┘
             1360円
          △個   □個
          ──── 20個 ────
```

ここでは図2の形に整理して解いてみます。

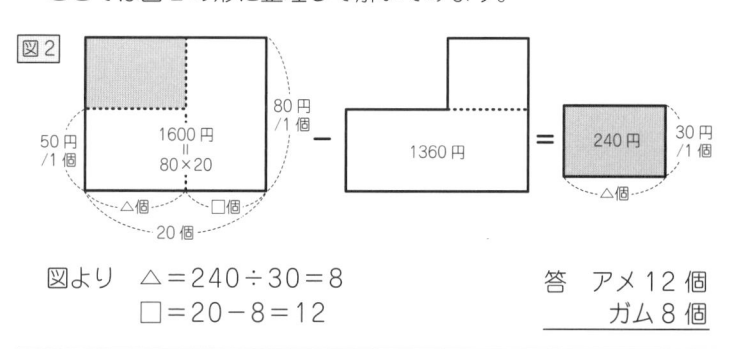

図2

```
┌──────────┐      ┌──────┐         ┌───┐
│          │80円/1個│      │         │240円│ 30円/1個
│ 1600円   │   -    │1360円│   =    │    │
│ =        │        │      │         │    │
│ 80×20   │        │      │         └───┘
└──────────┘        └──────┘          △個
 50円/1個
 △個 □個
 ── 20個 ──
```

図より △=240÷30=8   答 アメ12個
　　　 □=20−8=12   ガム8個

ルール35 差集算・過不足算は面積図を縦に並べる

解説 まずは解説をしっかり読もう！

ここでは以下のような差集算の解き方をやります。

1個80円のみかんと、1個160円のりんごを同じ数ずつ買います。

代金は合わせて1200円でした。

それぞれ何個買ったのでしょう。これが問題パターン1です。

代金の違いは400円でした。

それぞれ何個買ったのでしょう。これが問題パターン2です。

まず①のような図をかきます。□個とします。

①

80円/1個 みかんの代金 □個

160円/1個 りんごの代金 □個

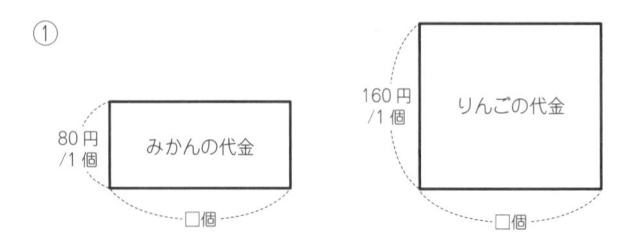

図をかくときのポイントは、**縦に単位あたりの量**（ここでは80円／1個、160円／1個）。**横に個数**をとることです。

第4章　文章題がツボにはまってスラスラわかる　解き方のルール

次に①を問題パターン１は②問題パターン２は③のように縦に並べます。そして ▨ に着目して解決します。

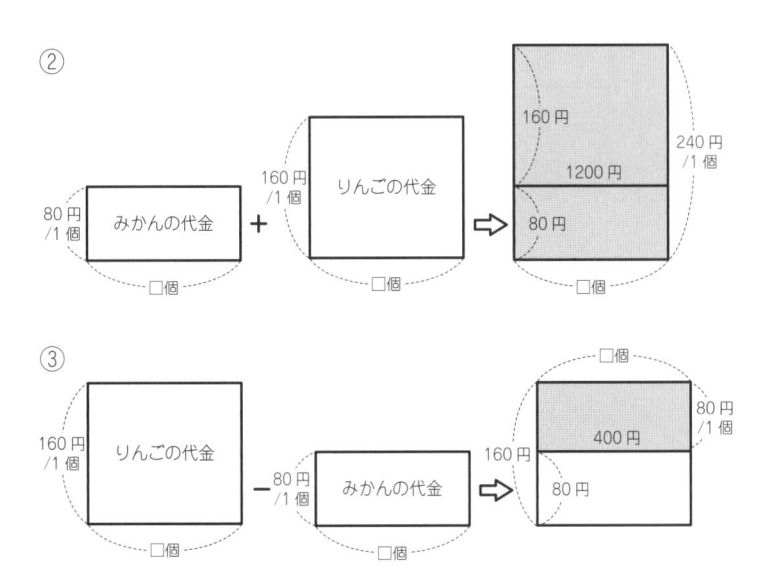

②

③

過不足算もやり方は同じです。
以下、例と練習で慣れましょう。

例題

1個60円のみかんと1個200円のりんごを同じ数ずつ買ったところ、代金は合わせて1820円でした。何個ずつ買ったのでしょうか。

答

差（ここでは値段）があるものを同じ数ずつなので差集め算です。まず図1をかきます。

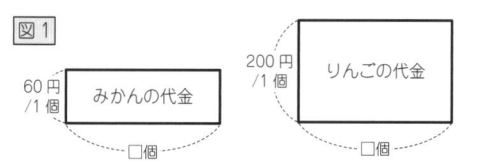

図1

[みかんの代金（60円/1個、□個）、りんごの代金（200円/1個、□個）]

図1を図2の形に整理します。

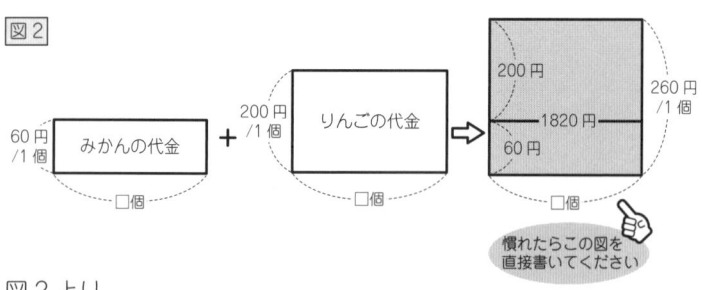

図2

[みかんの代金 + りんごの代金 → 200円と60円の合わさった図、1820円、260円/1個、□個]

慣れたらこの図を直接書いてください

図2より
□＝1820÷260＝7

答　みかん7個　りんご7個

第4章 文章題がツボにはまってスラスラわかる 解き方のルール

練習 実践!!

1本70円のえんぴつと1本120円のボールペンを同じ数ずつ買ったところ、代金の違いは750円になりました。何本ずつ買ったのでしょうか。

memo

答 確認!!

差（ここでは値段）があるものを同じ数ずつなので差集め算です。まず図1をかきます。

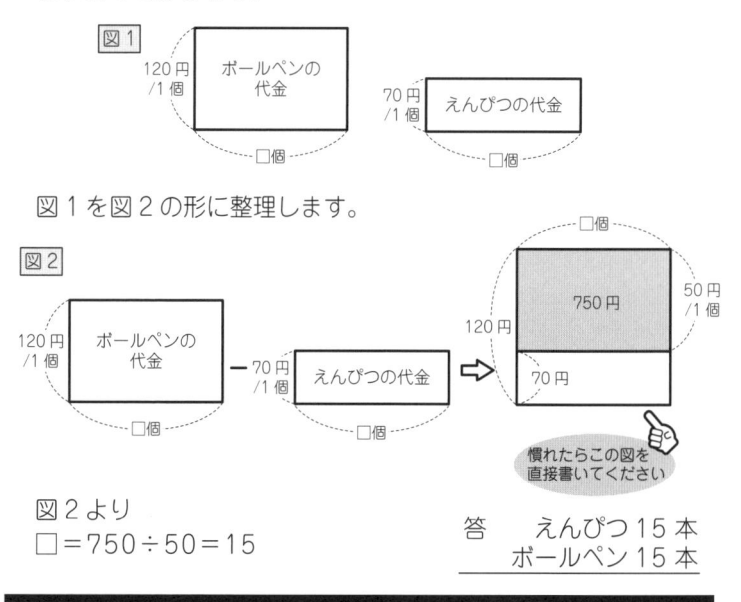

図1

120円/1個	ボールペンの代金

□個

70円/1個	えんぴつの代金

□個

図1を図2の形に整理します。

図2

ボールペンの代金（120円/1個、□個）− えんぴつの代金（70円/1個、□個） ⇒ 750円（50円/1個、□個）、120円、70円

慣れたらこの図を直接書いてください

図2より
□ = 750 ÷ 50 = 15

答 えんぴつ 15本
　　ボールペン 15本

例題

みかんを何人かの子どもに分けます。1人に5個ずつ分けると9個余り、7個ずつ配ると3個不足します。子どもの人数は何人でしょうか。

答

過不足算の問題ですが、差（ここでは個数／1人）があるものを同じ数（人数）ずつなので差集め算の仲間です。攻め方も同じです。
人数を□人として、まず図1をかきます。

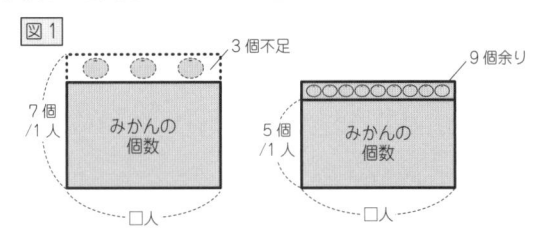

図1

図1を図2の形に整理します。

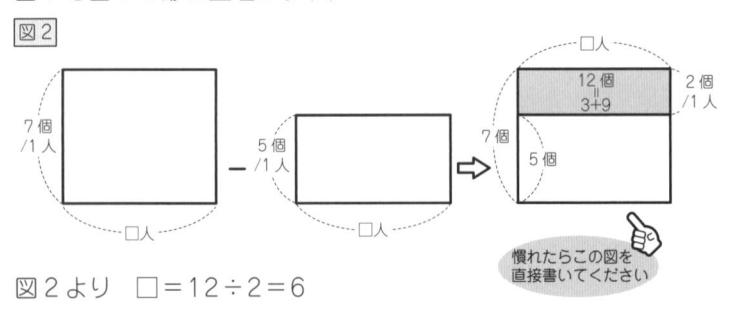

図2

慣れたらこの図を直接書いてください

図2より　□＝12÷2＝6

答　子どもは6人

結局この問題は、1人あたり5個ずつ配った場合と7個ずつ配った場合では、個数の違いが12個になりました。何人に配ったのでしょうか。という差集め算と見ることもできます。

第4章 文章題がツボにはまってスラスラわかる 解き方のルール

練習 実践!!

アメを何人かの子どもに配ります。1人4個ずつ配ると10個余り、1人7個ずつ配ると2個足りません。子どもの人数とアメの個数を求めてください。

答 確認!!

人数を□人として、まず図1をかきます。

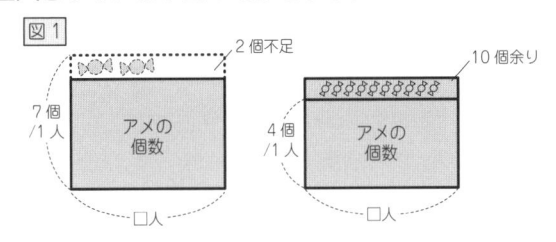

図1

図1を図2の形に整理します。

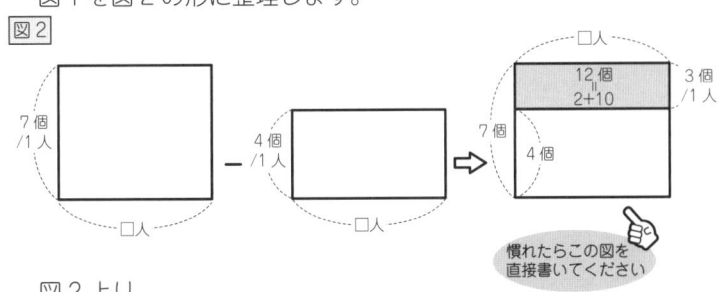

図2

慣れたらこの図を直接書いてください

図2より
□=12÷3=4　4人に4個ずつで10個余るから
アメは　4×4+10=26

答　子どもは4人　アメは26個

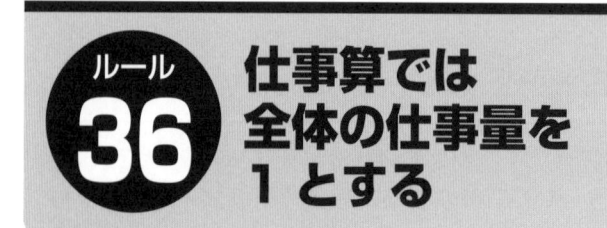

ルール36 仕事算では全体の仕事量を1とする

解説 まずは解説をしっかり読もう！

全体の仕事量を1とすることから考えましょう。

たとえば、48m²の塀にペンキを塗り終えるのにAさんは6時間かかり、Bさんは12時間かかります。はじめからAさんとBさんが一緒に働くと何時間かかりますか。

この問題と塀にペンキを塗り終えるのにAさんは6時間かかり、Bさんは12時間かかります。はじめからAさんとBさんが一緒に働くと何時間かかりますか。という問題と答えは同じです。

塀の広さに関係ないことは、直感でわかります。
そこで仕事算では仕事の量（ここでは塀の広さでした）を1として考えるようにしています。

そうすると、**Aは6時間かかるからAは1時間に** $\dfrac{1}{6}$ 塗ります。

Bは12時間だからBは1時間に $\dfrac{1}{12}$ 塗ります。

このようにとらえるのが仕事量のポイントです。

AさんとBさんの1時間あたりの仕事を図示します。

Aは1時間に $\dfrac{1}{6} = \dfrac{2}{12}$

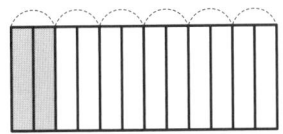

Bは1時間に $\dfrac{1}{12}$

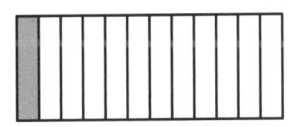

AとBが一緒に働くと1時間に $\dfrac{2}{12} + \dfrac{1}{12} = \dfrac{3}{12}$ の仕事をします。

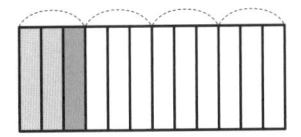

図をみると4時間で仕上がることがわかります。
計算では、x 時間で仕上がるとすると

$$\dfrac{3}{12} \times x = 1 \quad x = 1 \div \dfrac{3}{12} = 1 \times \dfrac{12}{3} = 4 \text{ (時間) です。}$$

仕事の全体量を1として1時間あたりや1日あたりなどの仕事の能率(ここでの1時間に A $\dfrac{1}{6}$ B $\dfrac{1}{12}$)を計算して考えるのが仕事算のやり方です。

以下、例と練習で慣れましょう。

例題

AさんとBさんが一緒に仕事をすると6日で終わる仕事があります。この仕事をAさんだけですると、9日かかります。
それではBさんだけですると、何日かかりますか。

答

全体の仕事量を1とします。

A＋Bでは6日だからA＋Bの1日の仕事量は$\frac{1}{6}$です。

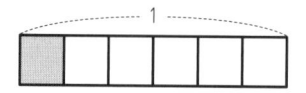

A1人では9日だからAの1日の仕事量は$\frac{1}{9}$です。

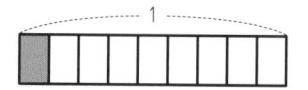

Bの1日の仕事量は
$\frac{1}{6} - \frac{1}{9} = \frac{3}{18} - \frac{2}{18} = \frac{1}{18}$

Bだけでx日かかるとすると
$\frac{1}{18} \times x = 1 \qquad x = 1 \div \frac{1}{18} = 1 \times \frac{18}{1} = 18$

<u>答　18日</u>

第4章　文章題がツボにはまってスラスラわかる　解き方のルール

練習1　実践!!

ある仕事を仕上げるのに A さん一人だと 24 日、B さん一人だと 8 日、C さん一人だと 12 日かります。この仕事を、3 人で一緒にすると、何日で終わりますか。

memo

答　確認!!

全体の仕事量を1とします。

A は 24 日だから A の 1 日の仕事量は $\frac{1}{24}$ です。

B は 8 日だから B の 1 日の仕事量は $\frac{1}{8}$ です。

C は 12 日だから C の 1 日の仕事量は $\frac{1}{12}$ です。

A+B+C の 1 日の仕事量は

$$\frac{1}{24} + \frac{1}{8} + \frac{1}{12} = \frac{1}{24} + \frac{3}{24} + \frac{2}{24} = \frac{6}{24} = \frac{1}{4}$$

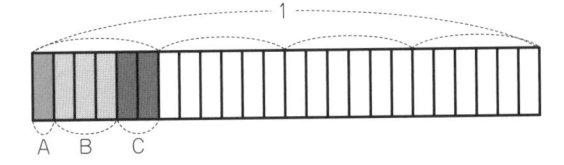

A+B+C で x 日かかるとすると

$$\frac{1}{4} \times x = 1 \quad x = 1 \div \frac{1}{4} = 1 \times \frac{4}{1} = 4$$

答　4日

練習2 実践!!

4人ですると、3時間でできる仕事があります。この仕事を3人で1時間働いたあと残りを1人ですると、あとどのくらいの時間がかかりますか。ただし1人が1時間にする仕事の量は同じです。

memo

答 確認!!

全体の仕事量を1とします。

4人で3時間だから、1人で仕上げるには12時間かかります。そこで1人が1時間にする仕事は $\frac{1}{12}$ です。

3人で1時間働くと $\frac{1}{12} \times 3 = \frac{3}{12} = \frac{1}{4}$ 仕上げます。

残りは $1 - \frac{1}{4} = \frac{4}{4} - \frac{1}{4} = \frac{3}{4}$ です。

これを1人（1時間に $\frac{1}{12}$）で仕上げるのに x 時間かかるとすると

$\frac{1}{12} \times x = \frac{3}{4}$ $x = \frac{3}{4} \div \frac{1}{12} = \frac{3}{4} \times \frac{12}{1} = 9$

<u>答　9時間</u>

⇨ 1人で1時間に $\frac{1}{12}$ ずつ片づけていく

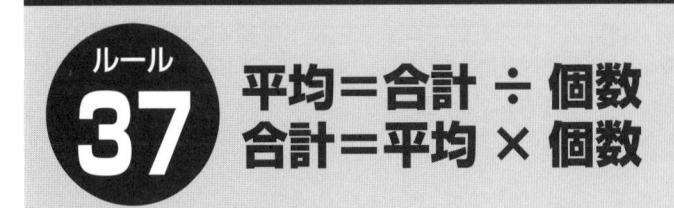

ルール37 平均＝合計 ÷ 個数　合計＝平均 × 個数

解説 まずは解説をしっかり読もう！

75点　80点　60点　67点　58点　の合計は

75＋80＋60＋67＋58＝340（点）

平均点は
340÷5＝68（点）

このように、**平均＝合計 ÷ 個数**です。

また、合計点　340＝68×5

このように、**合計＝平均 × 個数**です。

じつはこの式が大事です。
　平均と個数が与えられたとき、反射的に合計を計算する習慣をつけてください。そうすると応用問題に強くなります。
　以下、例と練習で慣れましょう。

例題

下表は田中さんの5回分のテストの成績です。平均点は 73 点です。このとき 3 回目の点数を求めてください。

回数	1	2	3	4	5
点数	73	80	?	92	78

答

平均点と個数がわかったら、反射的に合計点を出します。

合計は　73×5＝365 です。
これから1，2，4，5回目の点数をひきます。
365－(73＋80＋92＋78)＝365－323＝42

答　42 点

第4章 文章題がツボにはまってスラスラわかる 解き方のルール

練習1 実践!!

山田さんは英国数理社のテストを受けました。
英国数理の答案を返却してもらったところ、平均点は78点でした。そのあと社会も含めて5教科の平均点を求めると73点でした。社会は何点だったのでしょうか。

memo

答 確認!!

英 国 数 理 社 5教科の合計は、73×5＝365
英 国 数 理 4教科の合計は、78×4＝312
社会は、365－312＝53

答 53点

練習2 実践!!

A, B, C, D, Eの体重の平均は38kgで、A, B, Cの体重の平均は35kgです。D, Eの体重の平均は何kgでしょうか。

memo

答 確認!!

5人の体重の合計
(A+B+C+D +E)=38×5=190
3人の体重の合計
(A+B+C)=35×3=105
DとEの体重の合計=190-105=85
DとEの体重の平均=85÷2=42.5

答　42.5kg

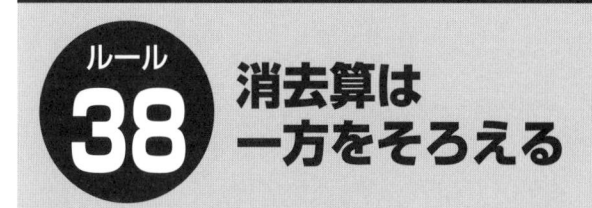

第4章 文章題がツボにはまってスラスラわかる 解き方のルール

ルール 38 消去算は一方をそろえる

解説 まずは解説をしっかり読もう！

ここでは以下のような消去算の解き方をやります。

りんご1個とみかん3個で220円、りんご2個とみかん5個で400円です。りんご1個、みかん1個の値段はそれぞれいくらですか。

内容を図示します。

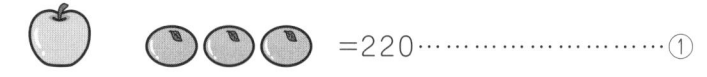

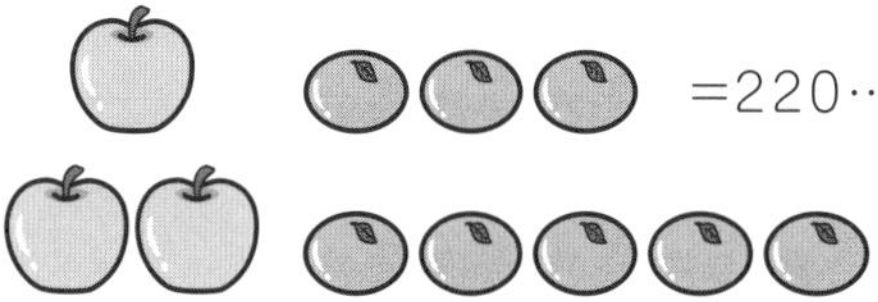

🍎 🍊🍊🍊 ＝220 ……………………………①

🍎🍎 🍊🍊🍊🍊🍊 ＝400 …………②

これでは、りんご1個の値段もみかん1個の値段もわかりません。

そこで、一方（ここではりんごの個数）をそろえます。

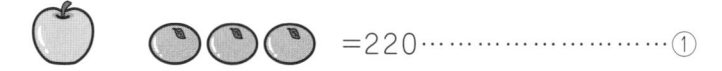

🍎 🍊🍊🍊 ＝220 ……………………………①

これを2セット買うことにより

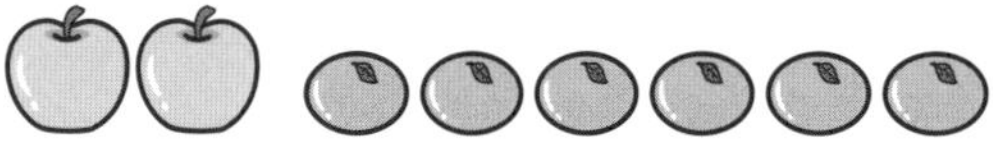

🍎🍎 🍊🍊🍊🍊🍊🍊 ＝440 ………③

145

前ページの ② と ③ を見比べます。

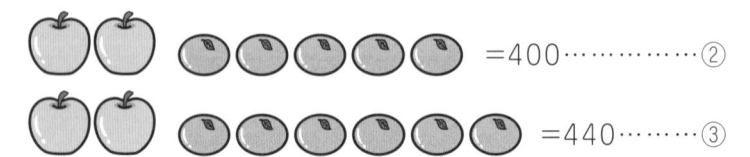

🍎🍎 🍊🍊🍊🍊🍊 =400……………②

🍎🍎 🍊🍊🍊🍊🍊🍊 =440………③

一方であるりんごの個数がそろっているので
値段の差はみかんの個数の差です。

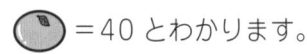

🍊＝40 とわかります。

これと ① より

🍎 ㊵ ㊵ ㊵ ＝220

🍎 ＋40×3＝220

🍎 ＝220－120＝100

　　　　　答　りんご1個100円　みかん1個40円

第4章 文章題がツボにはまってスラスラわかる 解き方のルール

以上のことから、消去算では一方の個数をそろえますが、このときセット買いのイメージを持つことが大切です。

以下、例と練習で慣れましょう。

例題

りんご1個とみかん1個で200円、りんご3個とみかん4個で640円です。りんご1個、みかん1個の値段はそれぞれいくらですか。

答

りんごを り 、みかんを み と表します。

り + み = 200 ……………①
りりり + みみみみ = 640 ……………②

一方の個数ここでは、みかん**をそろえる**ために ① を4セット買います。

りりりり + みみみみ = 800 ……………③
りりり + みみみみ = 640 ……………②

③ と ② を見比べることにより
り = 800 − 640 = 160
これと ① り + み = 200 より
み = 200 − 160 = 40

答 りんご160円 みかん40円

練習 実践!!

ある遊園地の入園料は、大人5人と子ども2人で合わせて1800円、大人6人と子ども4人で合わせて2400円です。大人1人の入園料はいくらですか。

memo

答 確認!!

大人を 大 、子どもを 小 とします。

大 大 大 大 大　　＋ 小 小　　　　＝ 1800 …………①
大 大 大 大 大 大 ＋ 小 小 小 小 ＝ 2400 …………②

① を2セット考えます。
大 大 大 大 大 大 **大 大 大 大** ＋ 小 小 小 小
　＝ 3600 ……………………………………………③
大 大 大 大 大　　　　　　　　＋ 小 小 小 小
　＝ 2400 ……………………………………………②

③ と ② を見比べることで
大 大 大 大 ＝ 3600 － 2400 ＝ 1200
大 ＝ 1200 ÷ 4 ＝ 300

答　300 円

第5章

平面図形がよくわかる解き方のルール

ルール39 三角形の内角の和は180°

解説 まずは解説をしっかり読もう！

下左図の角アイウの和が180°です。
下右図がその理由です。

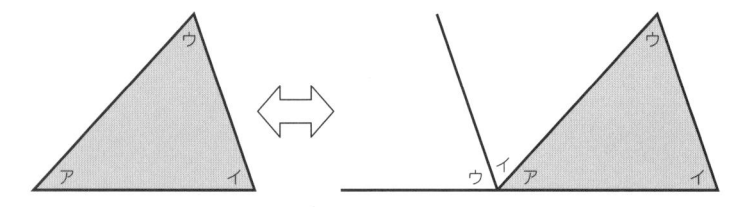

正三角形のひとつの角は60°
売っている2組の三角定規は 30°60°90° と 45°45°90°です。

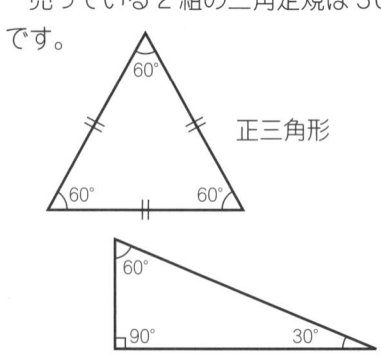

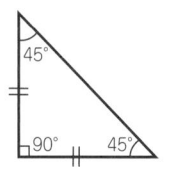

以下、練習で慣れてください。

第5章 平面図形がよくわかる 解き方のルール

練習 実践!!

下の三角形の角度 x を求めてください。

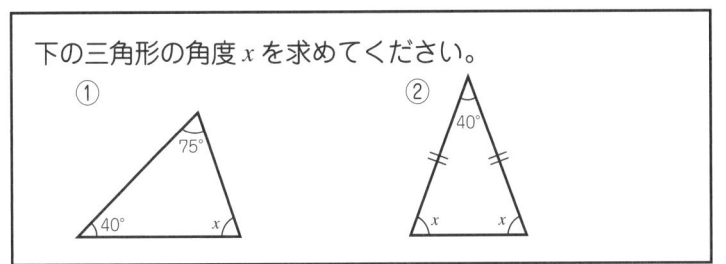

① ②

答 確認!!

① $75+40+x=180$
$115+x=180$

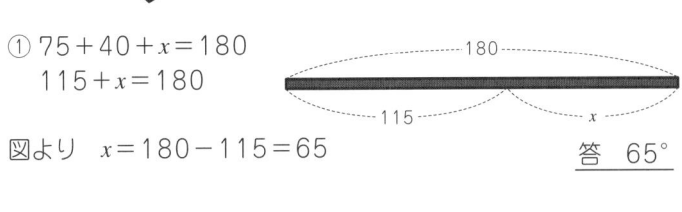

図より $x=180-115=65$

答 $65°$

② $40+2\times x=180$

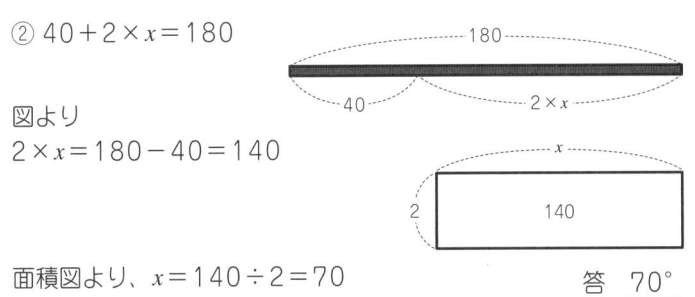

図より
$2\times x=180-40=140$

面積図より、$x=140\div 2=70$

答 $70°$

ルール 40 三角形の外角は隣にない2内角の和

解説 まずは解説をしっかり読もう!

まず外角とは何かはっきりさせましょう。

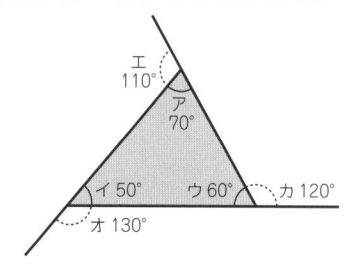

ア＝70°の　外角はエ＝110°
イ＝50°の　外角はオ＝130°
ウ＝60°の　外角はカ＝120°です。
内角＋外角＝180°です。

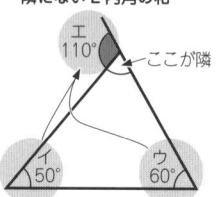

さらに
エ（110°）＝イ（50°）＋ウ（60°）
オ（130°）＝ア（70°）＋ウ（60°）
カ（120°）＝ア（70°）＋イ（50°）
のように、外角＝隣にない2内角の和になっています。

以下、練習で慣れましょう。

第5章 平面図形がよくわかる 解き方のルール

練習 実践!!

①②の x を求めてください。

① ②

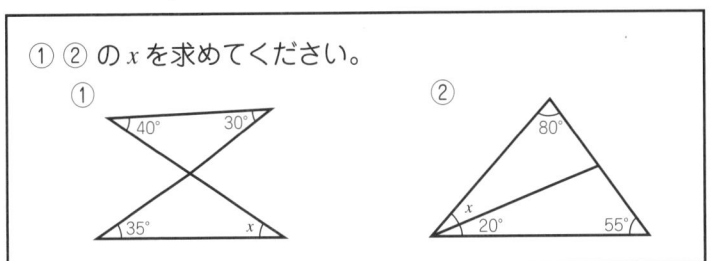

答 確認!!

①

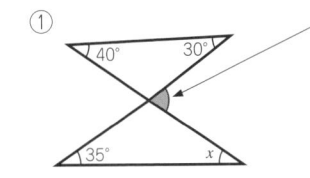

この角度に着目
外角＝隣にない2角の和より
$40+30=35+x$
これを解いて $x=35$

答 $35°$

②

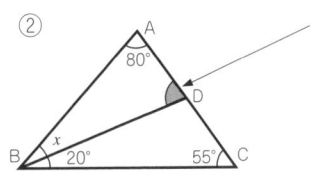

この角度に着目
対角＝隣にない2角の和より
$55+20=75$
△ABD の内角の和 180°より
$80+x+75=180$
これを解いて $x=25$

答 $25°$

ルール41 N角形の内角の和は 180°×(N−2)

解説 まずは解説をしっかり読もう！

N角形の内角の和はどうして180°×(N−2)となるのか、このあたりから考えましょう。

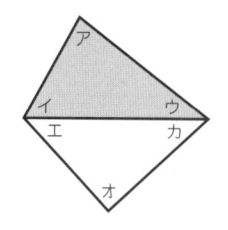

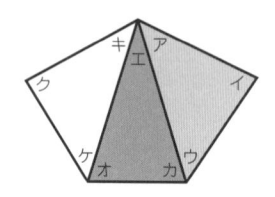

下図のように**4角形**の内角の和は
（ア＋イ＋ウ）＋（エ＋オ＋カ）＝180°×**2**

下図のように**5角形**の内角の和は
（ア＋イ＋ウ）＋（エ＋オ＋カ）＋（キ＋ク＋ケ）＝180°×**3**

第5章　平面図形がよくわかる　解き方のルール

結局3角形がいくつできるかで内角の和が決まります。
4角形 ⇔ 2個　5角形 ⇔ 3個でした。
調べてみると、6角形 ⇔ 4個　7角形 ⇔ 5個…となります。

よくみると　4角形のとき　4－2＝2個
　　　　　　5角形のとき　5－2＝3個
　　　　　　6角形のとき　6－2＝4個
　　　　　　7角形のとき　7－2＝5個となっています。

そこで、N角形の時は三角形が（N－2）個できるので内角の和は180°×(N－2)となります。
この公式を忘れたときには三角形に分けて考えてください。
以下、練習で慣れましょう。

例題　9角形の内角の和はいくらでしょうか。

答
N角形の内角の和の公式
180°×(N－2) のNに9を代入します。

180×(9－2)＝1260

答　1260°

練習1 実践!!

内角の和が1080°の多角形は何角形でしょうか。

答 確認!!

N角形とすると、内角の和は
180°×(N−2) これが1080°だから
180×(N−2)=1080
面積図より
N−2=1080÷180=6
N=6+2=8

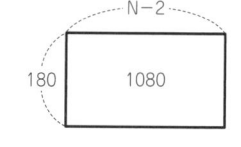

答 8角形

練習2 実践!!

図の x を求めてください。

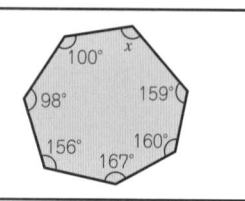

答 確認!!

7角形の内角の和は 180×(7−2)=900 そこで、
100+98+156+167+160+159+x=900
840+x=900　　x=900−840=60

答 60°

第 5 章　平面図形がよくわかる　解き方のルール

練習 3　実践!!

① 正 6 角形のひとつの内角を求めてください。
② 正 8 角形のひとつの内角を求めてください。

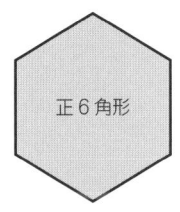

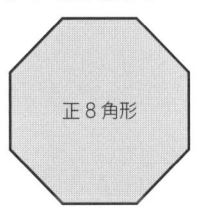

正 6 角形　　　正 8 角形

memo

答　確認!!

① 6 角形の内角の和は　180×(6−2)＝720
　そこでひとつの内角は　720÷6＝120

答　120°

② 8 角形の内角の和は　180×(8−2)＝1080
　そこでひとつの内角は　1080÷8＝135

答　135°

ルール42 外角の和は360°

解説 まずは解説をしっかり読もう！

外角の和は360°というのは
3角形の外角の和360°　　4角形の外角の和360°
5角形の外角の和360°　　6角形の外角の和360°
7角形の外角の和360°………ということです。

では、なぜこうなるかを5角形と6角形で考えましょう。
◆ 5角形の場合

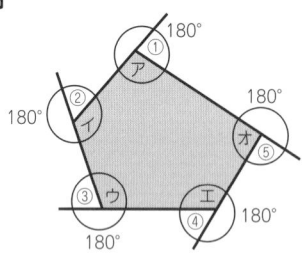

ア＋①＋イ＋②＋ウ＋③＋エ＋④＋オ＋⑤＝180×5
内角の和は、180°×(N－2) より
ア＋イ＋ウ＋エ＋オ＝180×(5－2)＝180×3
そこで、外角の和 ①＋②＋③＋④＋⑤
　　　　　　　　＝180×5－180×3＝360°
外角と内角の和180°の5倍から内角の和をひきました。

◆ 6角形の場合

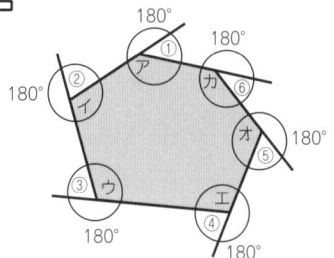

外角と内角の和 180°の 6 倍から内角の和 180°×(6−2)＝180×4 をひきます。
180×6−180×4＝180×2＝360°

同じ考え方で N 角形の場合
　外角と内角の和 180°の N 倍から内角の和 180°×(N−2) をひきます。180×N−180×(N−2)＝180×2＝360°です。
　以下、練習で慣れましょう。

練習 実践!!

正 8 角形のひとつの外角は何度でしょうか。

答 確認!!

正 8 角形の外角の和は 360°
ひとつの外角だから、360÷8＝45

答　45°

ルール43

長方形の面積＝縦 × 横
平行四辺形の面積＝底辺×高さ
台形の面積＝(上底＋下底)×高さ÷2

解説 まずは解説をしっかり読もう！

四角形の面積の公式をまとめて覚えましょう。

◆ 長方形の面積＝縦 × 横＝5×6＝30（cm^2）

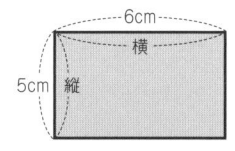

◆ 平行四辺形の面積＝底辺 × 高さ＝6×4＝24（cm^2）

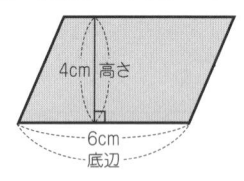

◆ 台形の面積＝(上底＋下底)× 高さ÷2
　　　　　　＝(4＋5)×6÷2＝27（cm^2）

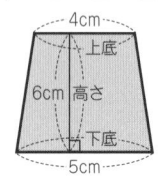

以下、練習で慣れましょう。

第 5 章　平面図形がよくわかる　解き方のルール

練習　実践!!

①②の x を求めてください。

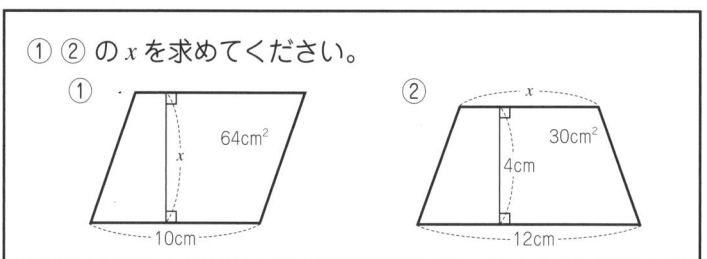

① 平行四辺形、底辺 10cm、高さ x、面積 64cm²

② 台形、上底 x、下底 12cm、高さ 4cm、面積 30cm²

memo

答　確認!!

① 平行四辺形の面積＝底辺 × 高さ＝$10 \times x = 64$
　　　　$x = 64 \div 10 = 6.4$

　　　　　　　　　　　　　　　　　　答　6.4cm

② 台形の面積＝（上底＋下底）× 高さ÷2
　　　　　＝$(x+12) \times 4 \div 2$
　　　　　＝$(x+12) \times 4 \times \dfrac{1}{2}$
　　　　　＝$(x+12) \times 2 = 30$
　　　　$x+12 = 30 \div 2 = 15$
　$x = 15 - 12 = 3$

　　　　　　　　　　　　　　　　　　答　3cm

ルール44 三角形の面積＝底辺 × 高さ ÷ 2

解説 まずは解説をしっかり読もう！

下の三角形の面積は
底辺 × 高さ ÷ 2 ＝ 10 × 5 ÷ 2 ＝ 25 (cm^2) です。

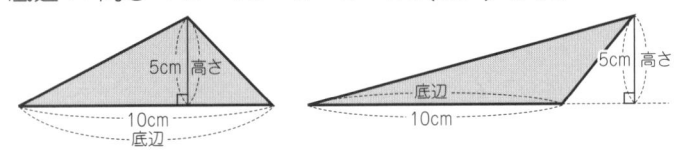

以下、練習で慣れましょう。

練習1 実践!!

下の三角形の面積を求めてください。

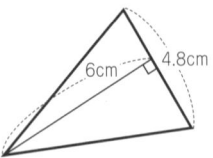

答 確認!!

三角形の面積＝底辺 × 高さ ÷ 2
　　　　　　＝ 4.8 × 6 ÷ 2 ＝ 14.4

答　14.4 cm^2

第5章 平面図形がよくわかる 解き方のルール

練習2 実践!!

①②の x を求めてください。

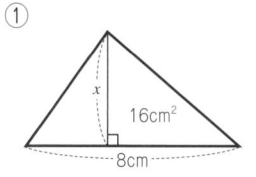

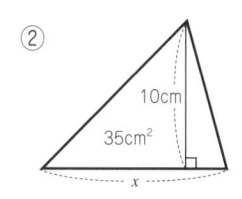

① 底辺8cm、高さ x、面積16cm²の三角形

② 高さ10cm、底辺 x、面積35cm²の三角形

memo

答 確認!!

① 三角形の面積＝底辺 × 高さ ÷2＝8× x ÷2
$\qquad = 8 \times x \times \dfrac{1}{2} = 4 \times x$

これが16だから 4× x =16 x =16÷4=4

<u>答 4cm</u>

② 三角形の面積＝底辺 × 高さ ÷2＝ x ×10÷2
$\qquad = x \times 10 \times \dfrac{1}{2} = x \times 5$

これが35だから x ×5=35 x =35÷5=7

<u>答 7cm</u>

ルール45 円の面積＝半径×半径×円周率
円周＝直径 × 円周率
円周率＝3.14……

解説 まずは解説をしっかり読もう！

下の円の面積は、円周率を 3.14 として

半径 × 半径 × 円周率＝半径 × 半径 ×3.14
　　　　　　　　　　＝4×4×3.14＝50.24cm²

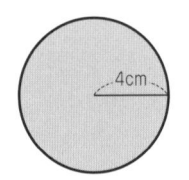

下の円周の長さは、円周率を 3.14 として
　　　　　直径 × 円周率＝直径 ×3.14
　　　　　　　　　　　　＝30×3.14＝94.2cm

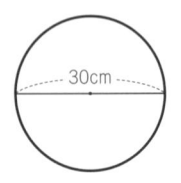

以下、練習で慣れましょう。

第 5 章　平面図形がよくわかる　解き方のルール

練習　実践!!

①②の半径を求めてください。
ただし、円周率は3.14とします。

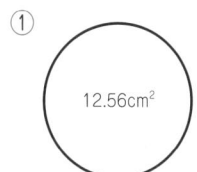

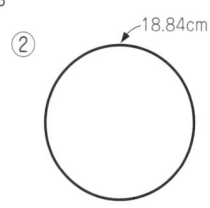

① 12.56cm²

② 18.84cm

memo

答　確認!!

① 半径 x cm とすると
　円の面積＝半径 × 半径 × 円周率＝$x × x × 3.14$
　これが12.56だから
　$x × x × 3.14 = 12.56$
　$x × x = 12.56 ÷ 3.14 = 4$　$x = 2$

　　　　　　　　　　　　　　　　　　　　答　2cm

② 円周＝直径 × 円周率
　　　＝半径 ×2×3.14＝$x × 2 × 3.14$
　　　＝$x × 6.28$
　これが18.84だから
　$x × 6.28 = 18.84$　$x = 18.84 ÷ 6.28 = 3$

　　　　　　　　　　　　　　　　　　　　答　3cm

ルール 46

おうぎ形の面積＝円の面積×$\dfrac{中心角}{360°}$

弧の長さ＝円周の長さ×$\dfrac{中心角}{360°}$

解説 — まずは解説をしっかり読もう！

下のおうぎ形の面積と弧の長さを考えましょう。

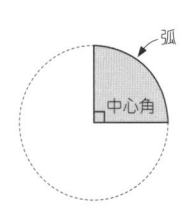

中心角は90°です。

明らかに円の$\dfrac{1}{4}$になっています。

これは中心角90°が360°の

$90 \div 360 = \dfrac{90}{360} = \dfrac{1}{4}$ だからです。

そこで、このおうぎ形の面積と弧の長さは

おうぎ形の面積＝円の面積×$\dfrac{90}{360}$　　弧の長さ＝円周×$\dfrac{90}{360}$

です。

中心角が180°なら$\dfrac{180}{360}$　　中心角が60°なら$\dfrac{60}{360}$

中心角が$x°$なら$\dfrac{x}{360}$を円の面積や円周にかけます。

以下、練習で慣れましょう。

第 5 章　平面図形がよくわかる　解き方のルール

練習　実践!!

① おうぎ形の面積と弧の長さを求めてください。
② x を求めてください。円周率は 3.14 です。

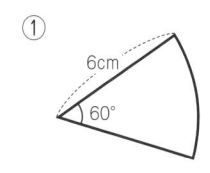

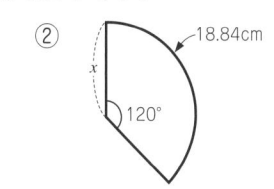

①　6cm、60°

②　18.84cm、x、120°

memo

答　確認!!

① おうぎ形の面積＝円の面積 $\times \dfrac{60}{360} =$

$6 \times 6 \times 3.14 \times \dfrac{1}{6} = 18.84$

弧の長さ＝円周 $\times \dfrac{60}{360} = \underbrace{6 \times 2}_{直径} \times 3.14 \times \dfrac{1}{6} = 6.28$

答　面積 18.84cm²　弧の長さ 6.28cm

② 弧の長さ＝円周 $\times \dfrac{120}{360} = \underbrace{x \times 2}_{直径} \times 3.14 \times \dfrac{1}{3} = x \times \dfrac{6.28}{3}$

これが 18.84 だから、$x \times \dfrac{6.28}{3} = 18.84$

$x = 18.84 \div \dfrac{6.28}{3} = 18.84 \times \dfrac{3}{6.28} = 9$

答　9cm

ルール 47 複雑な面積はいくつかに分けるか全体からまわりをひく

解説

まずは解説をしっかり読もう！

複雑な図形の面積の求め方には2つのやり方があります。いくつかに分けて考える方法と全体からまわりをひく方法です。以下、例と練習で慣れましょう。

例題

下の4角形の面積を計算してください。

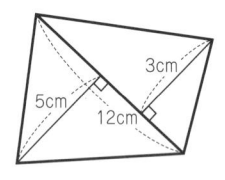

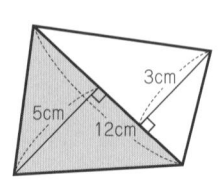

答

これがいくつかに分けて考える方法です。
2つの三角形に分けることにより
$12 \times 5 \div 2 + 12 \times 3 \div 2$
$= 30 + 18 = 48$

答 48cm²

第5章 平面図形がよくわかる 解き方のルール

例題

下図の四角形 ABCD は長方形です。
このとき、四角形 DEFC の面積を計算してください。

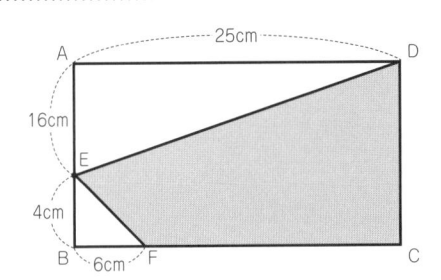

答

これが全体からまわりをひく方法です。
全体は長方形 ABCD、まわりは三角形 ADE と三角形 EBF です。

四角形 DEFC ＝長方形 ABCD －三角形 ADE －三角形 EBF
　　　　　＝20×25－16×25÷2－4×6÷2
　　　　　＝500－200－12＝288

<u>答　288cm^2</u>

練習 実践!!

①②の塗りつぶした部分の面積を求めてください。
円周率は3.14です。

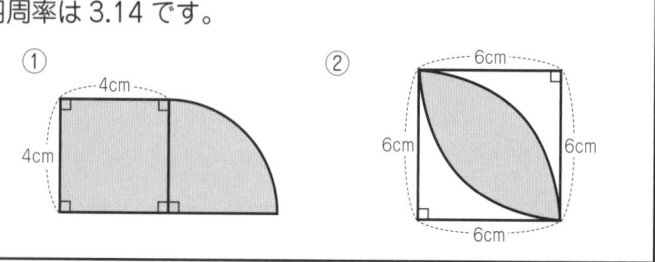

① 4cm / 4cm

② 6cm / 6cm / 6cm / 6cm

memo

答 確認!!

① $4 \times 4 + 4 \times 4 \times 3.14 \times \dfrac{90}{360} = 16 + 12.56 = 28.56$

答 28.56cm^2

① $6 \times 6 \times 3.14 \times \dfrac{90}{360} - 6 \times 6 \div 2 = 10.26$

6cm / 6cm

この2倍だから、$10.26 \times 2 = 20.52$

答 20.52cm^2

第5章 平面図形がよくわかる 解き方のルール

ルール 48 三角形の合同条件は
① 3辺がそれぞれ等しい
② 2辺とその間の角がそれぞれ等しい
③ 1辺とその両端の角がそれぞれ等しい

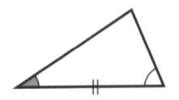

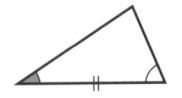

解説 まずは解説をしっかり読もう！

合同な図形は、下図のようにぴったりと重ね合わせることができる図形です。

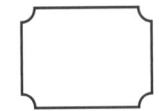

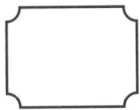

当然、対応する辺の長さや角は等しくなります。

とくに3角形の合同条件は重要です。図を参考にしながら覚えましょう。

① 3辺がそれぞれ等しい

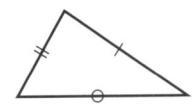

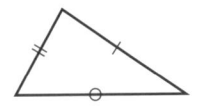

② 2辺とその間の角度がそれぞれ等しい

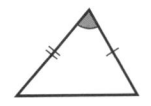

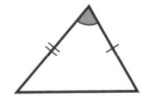

② 1辺とその両端の角がそれぞれ等しい

以下、練習で慣れましょう。

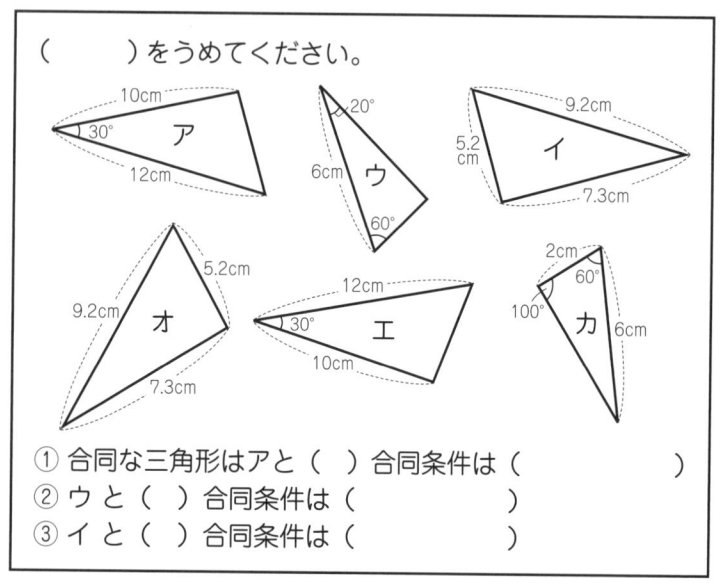

練習 実践!!

( ) をうめてください。

① 合同な三角形はアと( ) 合同条件は( )
② ウと( ) 合同条件は( )
③ イと( ) 合同条件は( )

memo

答 確認!!

① 合同な三角形はアと(**エ**) 合同条件は(**2辺とその間の角がそれぞれ等しい**)
② ウと(**カ**) 合同条件は(**1辺とその両端の角がそれぞれ等しい**)
③ イと(**オ**) 合同条件は(**3辺がそれぞれ等しい**)

第5章 平面図形がよくわかる 解き方のルール

ルール49 拡大図と縮図の性質
① 対応する角の大きさはそれぞれ等しい
② 対応する辺の長さの比はすべて等しい
③ 相似比 a:b ⇔ 面積比 a×a:b×b

解説 まずは解説をしっかり読もう！

まず拡大図と縮図とは何か説明します。

身近なところでは、写真を撮って気に入った写真は大きく引き伸ばします。

このとき、大きくした写真がもとの拡大図
もとの写真が大きくした写真の縮図です。

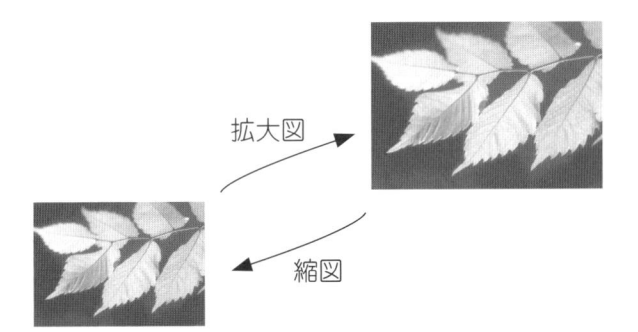

拡大図

縮図

拡大図と縮図は**同じ形**ですから当然
対応する角の大きさはそれぞれ等しい。
　（下図では角ア＝角エ　角イ＝角オ　角ウ＝角カ）
対応する辺の長さの比はすべて等しい。
　（下図では辺アイ：辺エオ＝辺イウ：辺オカ＝辺ウア：辺カエ）
という性質があります。

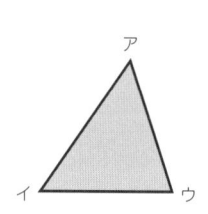

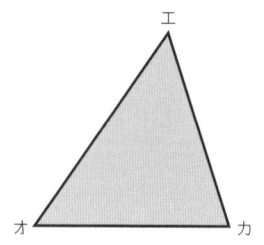

　下図では対応する辺の比（＝**相似比**といいます）が２:３です。
このとき、面積の比を考えましょう。

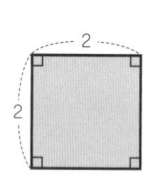

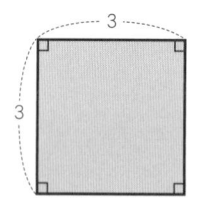

　面積の比は、２×２：３×３です。このように
相似比がa：bのとき、面積比はa×a：b×b という性質があります。
　以下、練習で慣れましょう。

第5章　平面図形がよくわかる　解き方のルール

練習1　実践!!

下の三角形アイウは三角形エオカの拡大図です。
このとき下記の問に答えてください。
① 三角形エオカで80°になるのはどの角ですか。
② 辺アイの長さは何cmですか。

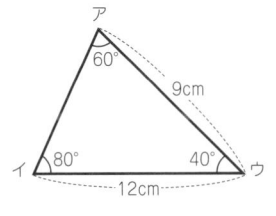

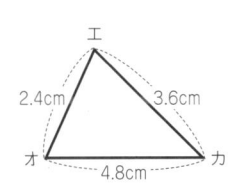

答　確認!!

① 対応する角の大きさは等しいから角オ

答　角オ

② 対応する辺の比は等しいから
　辺アイ：辺エオ＝辺アウ：辺エカ
　そこで辺アイの長さを x cmとすると
　$x : 2.4 = 9 : 3.6$　　内項の積＝外項の積だから
　$2.4 \times 9 = x \times 3.6$
　　$21.6 = x \times 3.6$
　　　$x = 21.6 \div 3.6 = 6$

答　6cm

練習2 実践!!

下の三角形アイウは三角形エオカの縮図です。
そして面積比が4:9です。
このとき、以下の問に答えてください。
① 三角形アイウと三角形エオカの相似比
② エオの長さ

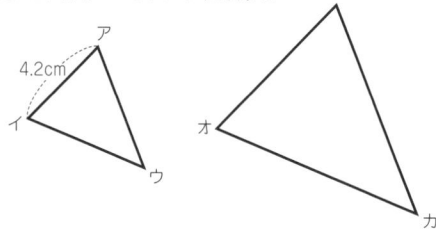

memo

答 確認!!

① 三角形アイウと三角形エオカの相似比を a:b とします。
　相似比 a:b ⇔ 面積比 a×a:b×b だから
　a×a:b×b=4:9=2×2:3×3 より
　　　a:b=2:3　　　　　　　　　　　　　　答　2:3

② そこで辺エオの長さを x cm とすると
　辺アイ：辺エオ=4.2：x＝2：3
　内項の積＝外項の積だから
　2×x＝4.2×3
　2×x＝12.6
　　x＝12.6÷2＝6.3　　　　　　　　　　答　6.3cm

ルール 50 三角形の高さが共通なら面積比は底辺の比

解説 まずは解説をしっかり読もう！

下図の2つの三角形AとBの面積比を考えます。

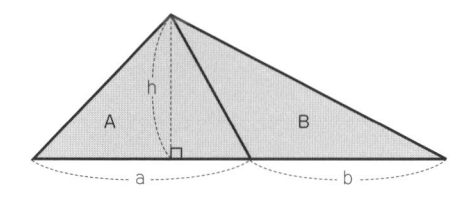

三角形の面積＝底辺×高さ÷2だから

三角形A＝a×h÷2　　　三角形B＝b×h÷2

三角形A：三角形B＝a×h÷2：b×h÷2
　　　　　　　　＝a×h：b×h
　　　　　　　　＝a：b

このように高さが共通（ここではh）の三角形の面積比は底辺の比（ここではa：b）です。

以下、練習で慣れましょう。

練習1 実践!!

三角形アイエの面積が 30cm² のとき、三角形アエウの面積を求めてください。
ただし、辺イエ：辺エウ＝6：5 です。

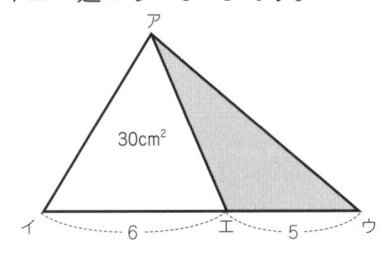

memo

答 確認!!

高さが共通の三角形の面積比は底辺の比です。
こで三角形アイエ：三角形アエウ＝6：5

三角形アエウを x cm² とすると
三角形アイエ：三角形アエウ＝30：x＝6：5
内項の積＝外項の積だから
$x \times 6 = 30 \times 5 = 150$
$x = 150 \div 6 = 25$

<u>答　25cm²</u>

第5章　平面図形がよくわかる　解き方のルール

練習2　実践!!

三角形アイウの面積が 80cm² のとき、三角形アイエの面積を求めてください。
ただし、辺イエ：辺エウ＝3：2 です。

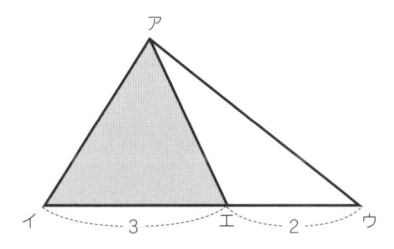

memo

答　確認!!

高さが共通の三角形の面積比は底辺の比です。
そこで三角形アイエ：三角形アエウ＝3：2

三角形アイウの面積（80cm²）を 3：2 に比例配分する問題だから線分図をかきます。

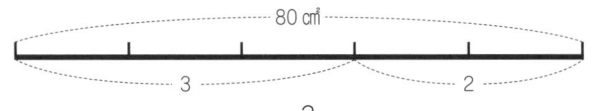

図より　三角形アイエ＝$80 \times \dfrac{3}{5} = 48$

答　48cm²

ルール51 N角形の対角線の数は (N−3)×N÷2

解説 まずは解説をしっかり読もう！

6角形に対角線をひいてみましょう。
Aから対角線をひくと3本ひけます。

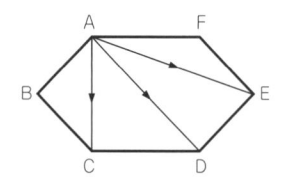

Aからひけるのは A, B, C, D, E, F の6つの頂点のうち A, B, F の3つの頂点をのぞいた C, D, E に対してです。
（6−3）本ひけます。

Dから対角線をひくとこの場合も（6−3）本ですが、そのうち1本はAからの対角線とダブります。

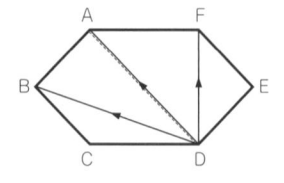

結局ひとつの頂点から（6−3）本ひけて
頂点が6個ですから（6−3）×6としたいところですが
そうするとA⇒DとD⇒A………をダブって
数えますから（6−3）×6÷2で計算します。
答えは9本です。

第5章　平面図形がよくわかる　解き方のルール

8角形の対角線は、ひとつの頂点から（8－3）本だから
（8－3）×8÷2＝20本です。

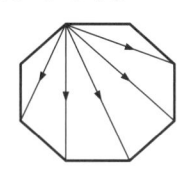

9角形、10角形………と同じ考え方でいけますから
N角形の対角線は（N－3）×N÷2です。
以下、練習で慣れましょう。

練習1　実践!!

9角形の対角線の数および12角形の対角線の数を求めてください。

memo

答　確認!!

9角形の対角線の数は
（N－3）×N÷2のNに9を代入して
（9－3）×9÷2＝27　　　　　　　　　　　　答　27本

12角形の対角線の数は
（N－3）×N÷2のNに12を代入して
（12－3）×12÷2＝54　　　　　　　　　　　答　54本

練習2 実践!!

対角線が14本ひけるのは何角形でしょうか。

memo

答 確認!!

N角形の対角線の数は
(N−3)×N÷2　これが14本だから
(N−3)×N÷2＝14

これは2次方程式ですから、中学の領域ですが
Nは正の整数ですから
N＝1，2，3………といれていけば、できるのではないか、
できる問題しかでないだろう、そんな気持ちで
やってみると、N＝7が見つかります。

<u>答　7角形</u>

検算　(7−3)×7÷2＝14

第6章

立体図形に強くなる解き方のルール

ルール 52 角柱・円柱の体積 = 底面積 × 高さ

解説 まずは解説をしっかり読もう!

角柱・円柱の体積=底面積 × 高さです。
以下、例と練習で慣れましょう。

例題

右の直方体の体積を求めてください。

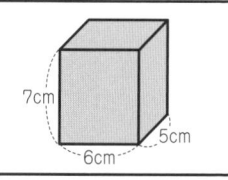

答

角柱の体積=底面積 × 高さ
=(6×5)×7
=30×7=210

答 210cm³

例題

右の円柱の体積を求めてください。
(円周率は3.14です)

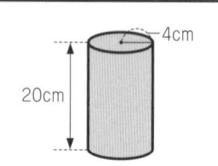

答

円柱の体積=底面積 × 高さ
=(4×4×3.14)×20
=50.24×20
=1004.8

答 1004.8cm³

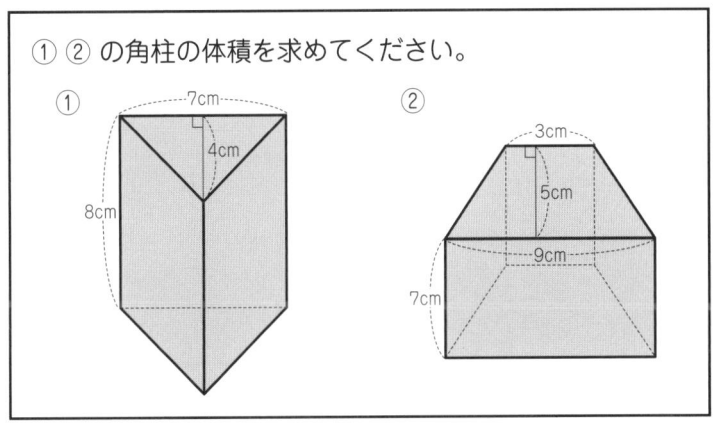

第6章 立体図形に強くなる 解き方のルール

練習1 実践!!

①②の角柱の体積を求めてください。

① 7cm、4cm、8cm

② 3cm、5cm、9cm、7cm

memo

答 確認!!

① 底面積＝7×4÷2＝14　高さ＝8
体積＝底面積×高さ＝14×8＝112

答　112cm³

② 底面積＝(上底＋下底)×高さ÷2
　＝(3＋9)×5÷2＝30
体積＝底面積×高さ＝30×7＝210

答　210cm³

練習2 実践!!

下の円柱の高さを求めてください。(円周率は 3.14 です)

3cm

339.12cm³

memo

答 確認!!

高さを x cm とすると
円柱の体積 = 底面積 × 高さ
　　　　　= $(3 \times 3 \times 3.14) \times x$
　　　　　= $28.26 \times x$
これが、339.12 だから
$28.26 \times x = 339.12$
$x = 339.12 \div 28.26 = 12$

<u>答　12cm</u>

第6章 立体図形に強くなる 解き方のルール

ルール53 角柱・円柱の表面積＝底面積×2＋側面積

解説 まずは解説をしっかり読もう！

　角柱・円柱の表面積＝底面積×2＋側面積ですが、これを覚えるより、そのつど展開図をかいて考えるのがいい方法です。
　以下、例と練習で慣れましょう。

例題 右の角柱の表面積を求めてください。

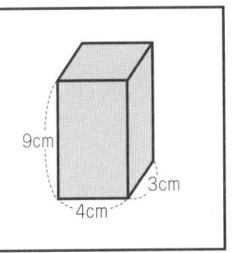

答
展開図をかきます。

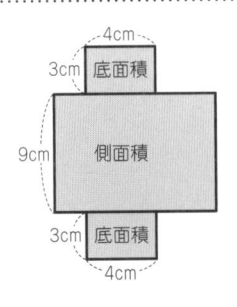

底面積＝3×4＝12
側面の横＝底面の周
　　　　＝3×2＋4×2＝14
側面積＝縦 × 横
　　　＝9×14＝126
表面積＝底面積×2＋側面積
　　　＝12×2＋126
　　　＝150

<u>答　150cm²</u>

練習 実践!!

下の円柱の表面積を求めてください。
（円周率は 3.14 です）

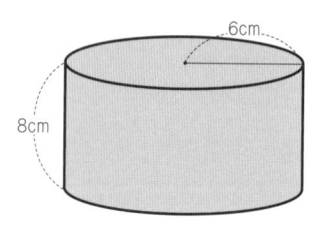

memo

答 確認!!

展開図をかきます。

底面積 ＝ 6×6×3.14 ＝ 113.04
側面の横 ＝ 円周
　　　　＝ 6×2×3.14 ＝ 37.68
側面積 ＝ 縦 × 横
　　　 ＝ 8×37.68 ＝ 301.44
表面積 ＝ 底面積×2＋側面積
　　　 ＝ 113.04×2＋301.44
　　　 ＝ 527.52

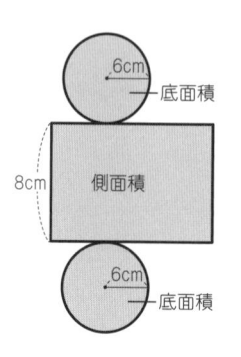

答　527.52cm²

第6章 立体図形に強くなる 解き方のルール

ルール54 角すい・円すいの体積 = 底面積 × 高さ × $\frac{1}{3}$

解説 まずは解説をしっかり読もう！

角すい・円すいの体積 = 底面積 × 高さ × $\frac{1}{3}$ です。
以下、例と練習で慣れましょう。

例題

右の四角すいの体積を求めてください。

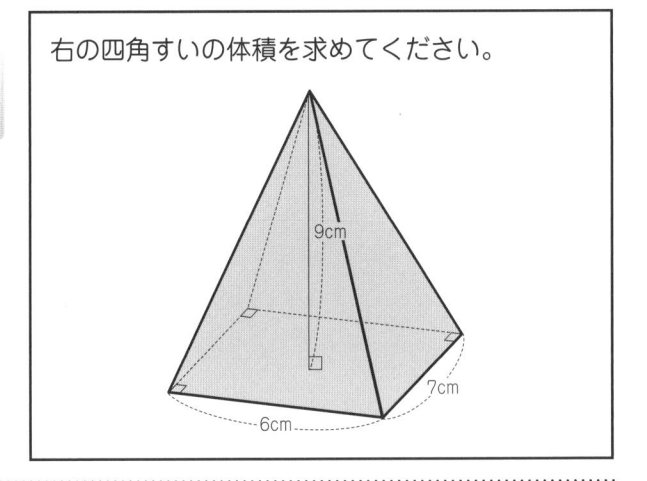

9cm
6cm
7cm

答

四角すいの体積 = 底面積 × 高さ × $\frac{1}{3}$
　　　　　　　 = $(6 \times 7) \times 9 \times \frac{1}{3}$
　　　　　　　 = $42 \times 9 \times \frac{1}{3} = 126$

答　126cm³

練習1 実践!!

下の円すいの体積を求めてください。
（円周率は3.14です）

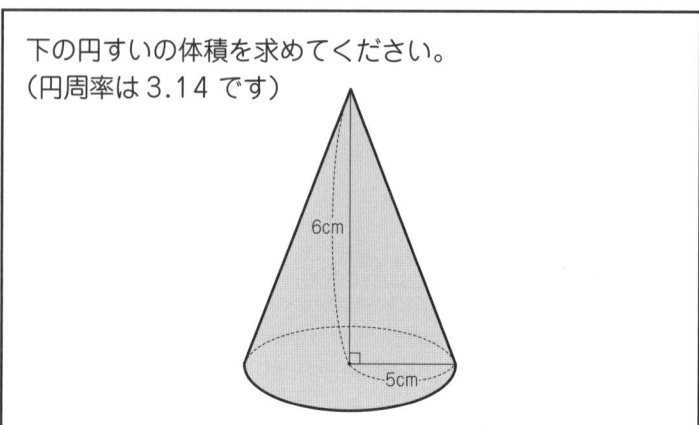

memo

答 確認!!

円すいの体積＝底面積 × 高さ × $\frac{1}{3}$

$= (5 \times 5 \times 3.14) \times 6 \times \frac{1}{3}$

$= 78.5 \times 6 \times \frac{1}{3} = 157$

答　157cm³

第6章 立体図形に強くなる 解き方のルール

練習2 実践!!

下の円すいの高さを求めてください。
（円周率は3.14です）

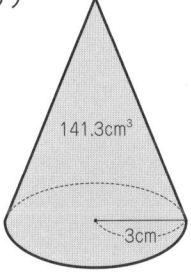

141.3cm³

3cm

memo

答 確認!!

高さを x cm とします。

円すいの体積＝底面積 × 高さ × $\frac{1}{3}$

$= (3 \times 3 \times 3.14) \times x \times \frac{1}{3}$

$= 28.26 \times x \times \frac{1}{3} = 9.42 \times x$

これが、141.3 だから
$9.42 \times x = 141.3$
　　$x = 141.3 \div 9.42 = 15$

答　15cm

ルール55 角すい・円すいの表面積＝底面積＋側面積

解説 まずは解説をしっかり読もう！

角すい・円すいの表面積＝底面積＋側面積ですが、これを覚えるよりそのつど展開図をかいて考えるのがいい方法です。

以下、例と練習で慣れましょう。

例題

右の正四角すいの表面積を求めてください。

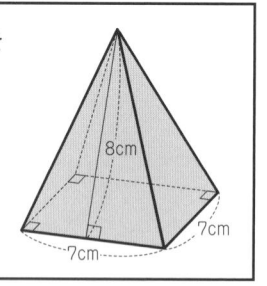

答

展開図をかきます。

底面積＝7×7＝49
ひとつの側面の面積＝7×8÷2＝28
側面積はこの4倍で28×4＝112
四角すいの表面積＝底面積＋側面積
　　　　　　　　＝49＋112＝161

答　161cm²

第6章 立体図形に強くなる 解き方のルール

練習 実践!!

下の円すいの表面積を展開図を参考にして求めてください。(円周率は 3.14 です)

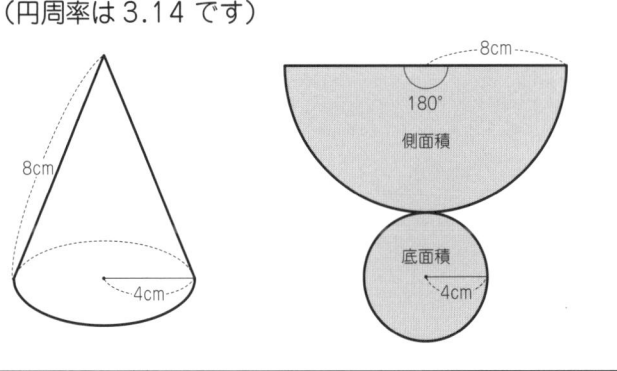

memo

答 確認!!

底面積＝4×4×3.14＝50.24
側面積は半径 8cm のおうぎ形で中心角 180°だから

$8 \times 8 \times 3.14 \times \dfrac{180}{360} = 8 \times 8 \times 3.14 \times \dfrac{1}{2} = 100.48$

円すいの表面積＝底面積＋側面積
　　　　　　　＝50.24+100.48
　　　　　　　＝150.72　　　　　　　答　150.72cm²

ルール56 円すいの応用問題は側面の弧＝底面の円周で解く

解説 まずは解説をしっかり読もう！

円すいの応用問題とは側面のおうぎ形の半径や中心角、それから底面の半径などを求める問題です。このとき、ポイントは下図のように側面の弧＝底面の円周となることです。

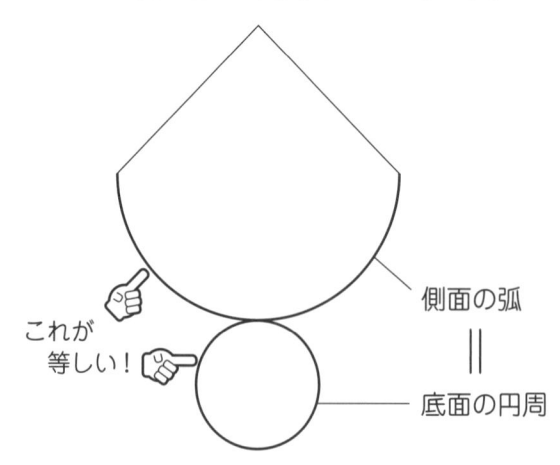

これが等しい！

側面の弧
＝
底面の円周

以下、例と練習で慣れましょう。

第6章 立体図形に強くなる 解き方のルール

例題

右の円すいの展開図をかいたとき、側面のおうぎ形の中心角は何度でしょうか。
(円周率は3.14です)

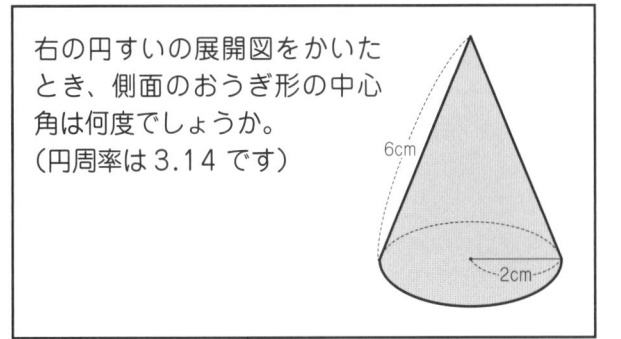

答

展開図をかきます。
側面のおうぎ形の中心角を $x°$ とします。

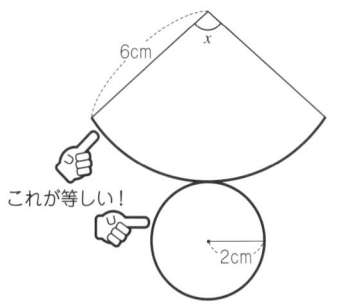

これが等しい!

側面の弧(の長さ)$= 6 \times 2 \times 3.14 \times \dfrac{x}{360} = \dfrac{3.14 \times x}{30}$

底面の円周 $= 2 \times 2 \times 3.14 = 12.56$

側面の弧=底面の円周だから

$\dfrac{3.14 \times x}{30} = 12.56$

$x = 12.56 \div \dfrac{3.14}{30} = 12.56 \times \dfrac{30}{3.14} = 120$

答　120°

練習 実践!!

右の円すいの展開図をかいたとき側面のおうぎ形の中心角は180°でした。このとき底面の半径は何cmでしょうか。
(円周率は3.14です)

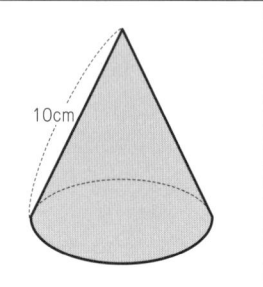

memo

答 確認!!

展開図をかきます。
底面の円の半径を x cm とします。

側面の弧（の長さ）
$= 10 \times 2 \times 3.14 \times \dfrac{180}{360} = 31.4$
底面の円周
$= x \times 2 \times 3.14 = x \times 6.28$
側面の弧＝底面の円周だから
$31.4 = x \times 6.28$
$x = 31.4 \div 6.28 = 5$

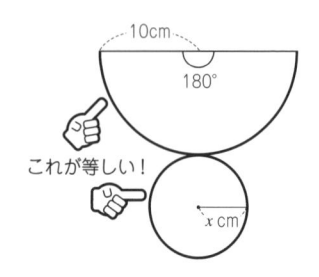

これが等しい！

答　5cm

第6章 立体図形に強くなる 解き方のルール

ルール57 複雑な体積は いくつかに分けるか 全体からまわりをひく

解説 まずは解説をしっかり読もう!

複雑な立体の体積の求め方には2つの方法があります。
いくつかに分けて考える方法と全体からまわりをひく方法です。
　以下、例と練習で慣れましょう。

例題

下の立体の体積を求めてください。

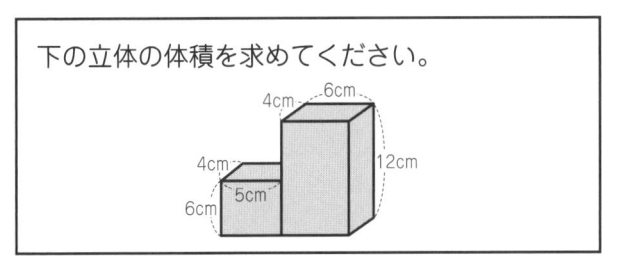

答

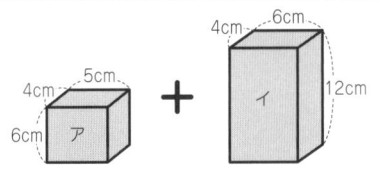

直方体アとイに分けて考えます。
アの体積＝底面積×高さ＝4×5×6＝120
イの体積＝底面積×高さ＝4×6×12＝288
求める体積＝アの体積＋イの体積
＝120+288＝408　　　　　　　　　　答　408cm³
これがいくつかに分けて考える方法です。

197

例題

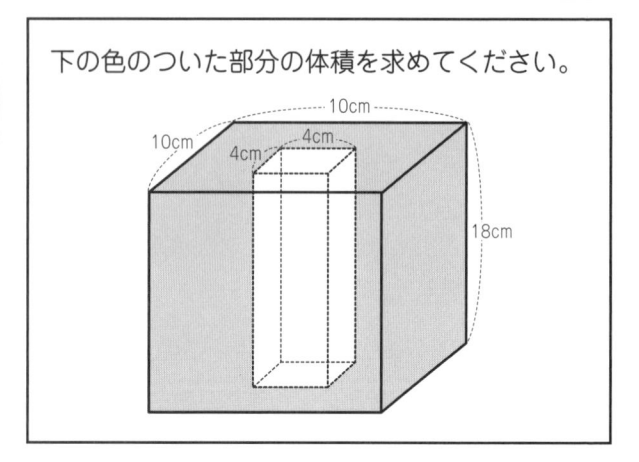

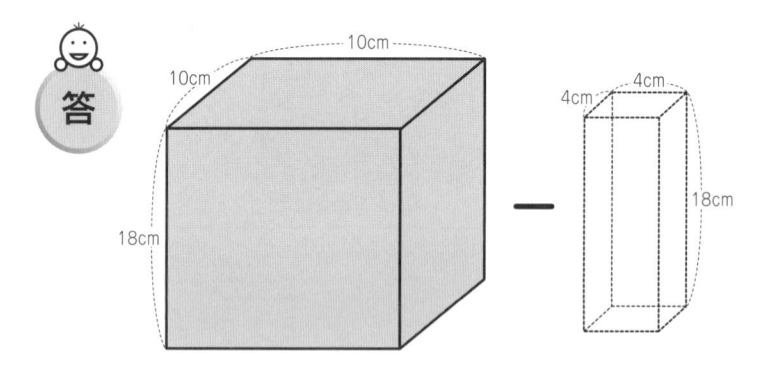

下の色のついた部分の体積を求めてください。

答

全体（外側の角柱）からまわり（くりぬいた角柱）をひきます。

10×10×18−4×4×18
＝1800−288＝1512

答　1512cm³

これが全体からまわりをひく方法です。

第6章 立体図形に強くなる 解き方のルール

練習1 実践!!

下の立体の体積を求めてください。
(円周率は3.14です)

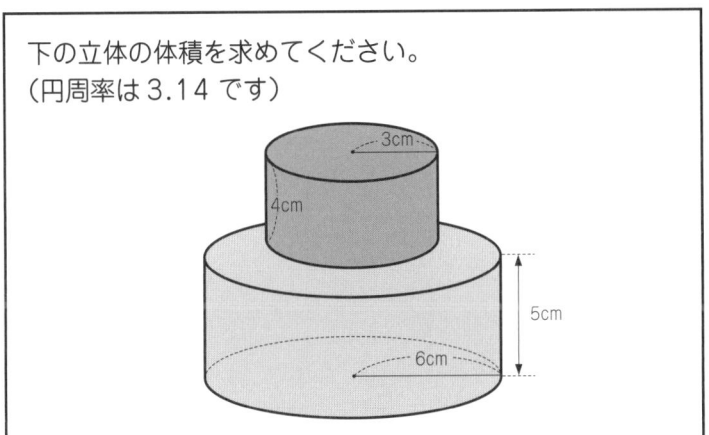

memo

答 確認!!

上の円柱の体積＝底面積 × 高さ＝(3×3×3.14)×4
　　　　　　　　　　　　　　＝113.04
下の円柱の体積＝底面積 × 高さ＝(6×6×3.14)×5
　　　　　　　　　　　　　　＝565.2
求める体積＝113.04＋565.2＝678.24

答　678.24cm³

練習2 実践!!

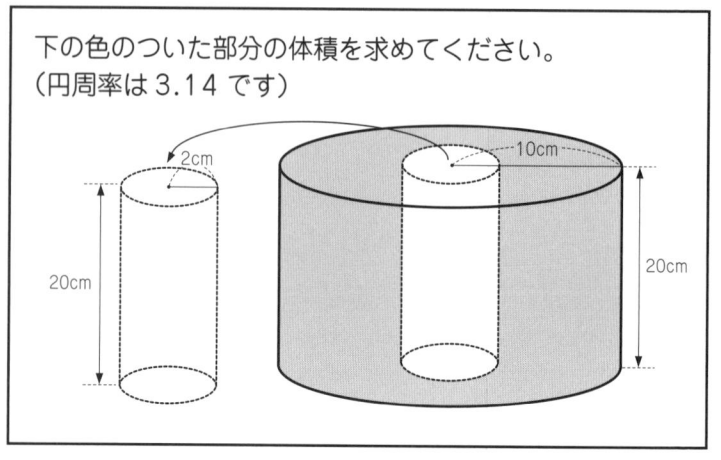

下の色のついた部分の体積を求めてください。
（円周率は3.14です）

答 確認!!

$(10 \times 10 \times 3.14) \times 20 - (2 \times 2 \times 3.14) \times 20$
$= 6280 - 251.2 = 6028.8$

答 $6028.8 cm^3$

第7章

ともなって変わる量が
いとも簡単にできてしまう
解き方のルール

ルール58 x と y が比例するとき $y = a \times x$

解説 まずは解説をしっかり読もう！

比例とは、たとえば1個80円のケーキの個数と代金のような関係です。

2個の値段は1個の2倍、3個の値段は1個の3倍……のように、一方が2倍、3倍……となれば他方も2倍、3倍……のような性質がありますが、このとき1個で80円、2個で160円……ですから**代金＝80×個数**です。**代金を y、個数を x とすると $y = 80 \times x$** です。

もうひとつ見てみましょう。時速40kmで進む自動車の走った時間と道のりの関係です。

1時間で40km、2時間で80km……ですから**道のり＝40×時間**です。**時間を x、道のりを y とすると $y = 40 \times x$** です。

以上のように、伴って変わる量 x と y が比例するとき $y = 80 \times x$、$y = 40 \times x$ ……のような式になります。**数字部分はそのつど変わりますからこれを a で表すと、$y = a \times x$ と表せます。**

2つの量が比例するとき、反射的に $y = a \times x$ とする、これが比例の問題を解くポイントです。

以下、例と練習で慣れましょう。

第7章 ともなって変わる量がいとも簡単にできてしまう 解き方のルール

例題

自動車が消費するガソリンの量と走行する距離は比例します。
2.5ℓで20km走る自動車について以下の問に答えてください。
① ガソリンの量をx(ℓ)、走行距離をy(km)とするときxとyの関係を式に表してください。
② 12ℓで走行できる距離を求めてください。
③ 走行距離が48kmのとき消費したガソリンは何ℓですか。

答

① xとyは比例するから $y = a \times x$ とします。
$x = 2.5$ のとき、$y = 20$
これを、$y = a \times x$ に代入します。(20, 2.5)
$20 = a \times 2.5 \Rightarrow a = 20 \div 2.5 = 8$
よって $y = 8 \times x$

答 $y = 8 \times x$

② $y = 8 \times x$ の x に12を代入します。
$y = 8 \times 12 = 96$

答 96km

③ $y = 8 \times x$ の y に48を代入します。
$48 = 8 \times x$
$x = 48 \div 8 = 6$

答 6ℓ

練習 実践!!

くぎ50本が480gです。このくぎ28.8kgの本数は何本でしょうか。ただし、くぎの本数と重さは比例します。

memo

答 確認!!

くぎの本数を x 本、これに対応する重さを y g とします。
x と y は比例するから $y = a \times x$ です。

$x = 50$ のとき、$y = 480$　これを $y = a \times x$ に代入します。
（480, 50）
$480 = a \times 50 \Rightarrow a = 480 \div 50 = 9.6$
よって　$y = 9.6 \times x$

28.8kg を g 単位に換算します。
$28.8 \times 1000 = 28800$ g

$y = 9.6 \times x$ の y に 28800 を代入します。
$28800 = 9.6 \times x$
$x = 28800 \div 9.6 = 3000$

答　3000本

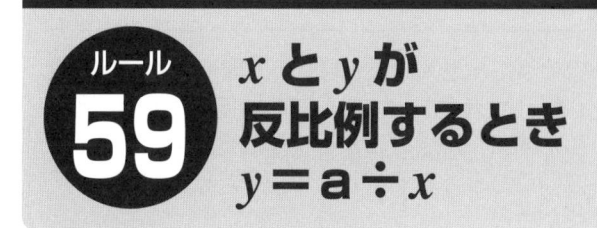

第7章 ともなって変わる量がいとも簡単にできてしまう 解き方のルール

ルール59 x と y が反比例するとき $y = a \div x$

解説 まずは解説をしっかり読もう！

反比例とは、たとえば 100 冊のノートを何人かで分けるときの人数と 1 人分の冊数のような関係です。

2 人のときの 1 人分の冊数（50 冊）は、1 人のときの $\frac{1}{2}$ 倍、4 人のときの 1 人分の冊数（25 冊）は 1 人のときの $\frac{1}{4}$ 倍……

このように、一方が 2 倍、3 倍……になれば他方は $\frac{1}{2}$ 倍、$\frac{1}{3}$ 倍……のような性質がありますが、このとき、

1 人で 100 冊、2 人で 50 冊、4 人で 25 冊……ですから **1 人分の冊数＝100÷人数**です。**1 人分の冊数を y、人数を x とすると、$y = 100 \div x$ です。**

ノートが 200 冊の場合、$y = 200 \div x$ です。以上のように、伴って変わる量 x と y が反比例するとき $y = 100 \div x$、$y = 200 \div x$ ……のような式になります。**数字部分はそのつど変わりますからこれを a で表すと、$y = a \div x$ と表せます。**

2 つの量が反比例するとき、反射的に $y = a \div x$ とする、これが反比例の問題を解くポイントです。

以下、例と練習で慣れましょう。

例題

水そうに水を入れるとき、1分間に入れる水の量 $x\ell$ といっぱいになるまでの時間 y 分は反比例します。1分間に2ℓずつ入れると24分でいっぱいになる水そうについて、以下の問に答えてください。

① x と y の関係を式に表してください。
② 1分間に3ℓずつ入れるとき、いっぱいになるまでの時間を求めてください。
③ いっぱいになるまでの時間が12分のとき、1分間に何ℓずつ入れたのでしょうか。

答

① x と y は反比例するから $y = a \div x$ とします。
 $x = 2$ のとき、$y = 24$
 これを、$y = a \div x$ に代入します。(24, 2)
 $24 = a \div 2 \Rightarrow a = 24 \times 2 = 48$
 よって $y = 48 \div x$

答 $y = 48 \div x$

② $y = 48 \div x$ の x に 3 を代入します。
 $y = 48 \div 3 = 16$

答 16分

③ $y = 48 \div x$ の y に 12 を代入します。
 $12 = 48 \div x$
 $x = 48 \div 12 = 4$

答 4ℓ

第7章　ともなって変わる量がいとも簡単にできてしまう　解き方のルール

練習　実践!!

決まった広さをペンキで塗る作業があります。そして1日あたりの人数と仕上がるまでの日数は反比例します。1日あたり3人働くと24日かかるとき、以下の問に答えてください。
① 1日あたり x 人のとき、y 日かかるとして x と y の関係を式に表してください。
② 1日あたり8人のとき仕上がるまでの日数を求めてください。
③ 仕上がるまでの日数が12日のとき、1日あたり何人働くのでしょうか。

memo

答　確認!!

① x と y は反比例するから　$y = a \div x$ とします。

$x = 3$ のとき、$y = 24$　これを、$y = a \div x$ に代入します。（24, 3）
$24 = a \div 3 \Rightarrow a = 24 \times 3 = 72$
よって　$y = 72 \div x$
<u>　答　$y = 72 \div x$</u>

② $y = 72 \div x$ の x に8を代入します。
$y = 72 \div 8 = 9$
<u>　答　9日</u>

③ $y = 72 \div x$ の y に12を代入します。
$12 = 72 \div x$　　$x = 72 \div 12 = 6$
<u>　答　6人</u>

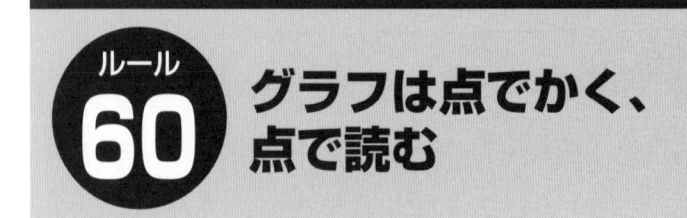

ルール60 グラフは点でかく、点で読む

解説　まずは解説をしっかり読もう！

グラフは点をいくつかとって、それを結んでかきます。
点のとり方は、**地図をかく要領**です。

たとえば、$y=2\times x$ のグラフでは $x=1$ で $y=2$ に対して、**1丁目2番地**と思って中央の0点から1丁目で右に1つ、2番地でそこから上に2つ行ったA点をとります。$x=2$ で $y=4$ に対して、**2丁目4番地**と思って中央の0点から2丁目で右に2つ、4番地でそこから上に4つ行ったB点をとります。

このようにして、点をとってそれを結べば、下のように $y=2\times x$ のグラフがかけます。

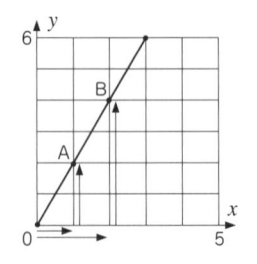

グラフは点でかきましたから、グラフが与えられた問題ではグラフ上の点を同じ要領で読みとって解決します。

以下、例と練習で慣れましょう。

第7章　ともなって変わる量がいとも簡単にできてしまう　解き方のルール

例題

下のグラフは工作用紙の枚数と重さの関係を表しています。このグラフをもとに以下の問に答えてください。

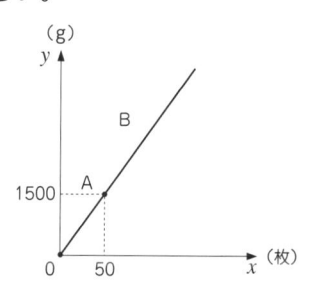

(g)
y ↑
　　　　　　　B
1500 ─── A
　　　　｜
0　　50　　　　　x (枚)

① x と y の関係を式に表してください。
② 重さが7560gのときの枚数を求めてください。

答

① x と y は比例するから　$y = a \times x$ とします。
$x = 50$ のとき、$y = 1500$

これを、$y = a \times x$ に代入します。(1500, 50)
$1500 = a \times 50 \Rightarrow a = 1500 \div 50 = 30$
よって　$y = 30 \times x$

答　$y = 30 \times x$

② $y = 30 \times x$ の y に7560を代入します。
$7560 = 30 \times x$
$x = 7560 \div 30 = 252$

答　252枚

209

練習 実践!!

下のグラフは面積が一定の長方形の縦の長さ x cm と横の長さ y cm の関係を表しています。

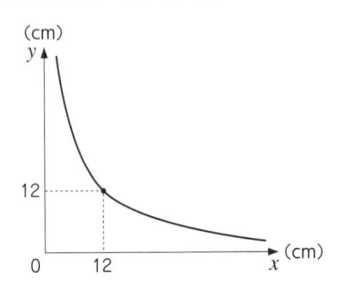

① x と y の関係を式に表してください。
② 横の長さが 4cm のときの縦の長さを求めてください。

memo

答 確認!!

① **x と y は反比例するから** $y = a \div x$ とします。

$x = 12$ のとき、$y = 12$ これを、$y = a \div x$ に代入します。
$12 = a \div 12 \Rightarrow a = 12 \times 12 = 144$
よって $y = 144 \div x$

答 $y = 144 \div x$

② $y = 144 \div x$ の y に 4 を代入します。
$4 = 144 \div x$ $x = 144 \div 4 = 36$

答 36cm

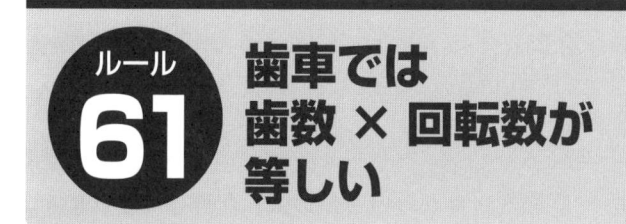

ルール 61 歯車では歯数 × 回転数が等しい

解説 まずは解説をしっかり読もう！

下図のように、歯数 16 の歯車 A と、歯数 8 の歯車 B がかみ合っています。歯には番号がついています。

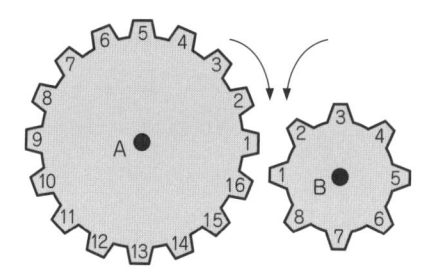

A の何番の歯と B の何番の歯がかみ合うか調べると下のようになりました。

```
B 1 2 3 4 5 6 7 8 1 2 3 4 5 6 7 8     1 2 3 4 5 6 7 8 1 2 3 4 5 6 7 8
A 1 2 3 4 5 6 7 8 9 10 11 12 13 14 15 16   1 2 3 4 5 6 7 8 9 10 11 12 13 14 15 16
```

上記によると、B の歯車が 2 回転するとき、A の歯車は 1 回転です。かみ合う歯の数が B では、8×2＝16、A では 16×1＝16 で等しくなります。

Aの歯車が2回転するときBの歯車は4回転です。かみ合う歯の数がAでは、16×2=32、Bでは8×4=32で等しくなります。

結局歯数 × 回転数（＝かみ合う歯の数）が等しくなります。
以下、例と練習で慣れましょう。

例題

> 歯数40の歯車Aと歯数25の歯車Bがかみ合っています。Bが16回転するとき、Aは何回転するでしょうか。

答

歯数 × 回転数（＝かみ合う歯の数）が等しくなります。
Aの回転数をx回とすると
$40 \times x = 25 \times 16$
$40 \times x = 400$
$x = 400 \div 40 = 10$

<u>答　10回転</u>

第 7 章　ともなって変わる量がいとも簡単にできてしまう　解き方のルール

練習　実践!!

歯数 64 の歯車 A と、歯数 8 の歯車 B と歯数 16 の歯車 C が下図のようにかみ合っています。A が 8 回転するとき C は何回転するでしょうか。

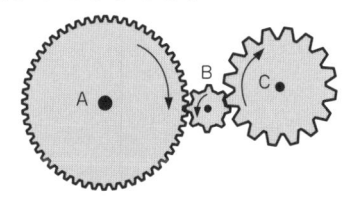

memo

答　確認!!

歯数 × 回転数（＝かみ合う歯の数）が等しくなります。
B の回転数を x 回とすると
$64 \times 8 = 8 \times x$　$512 = 8 \times x$
$x = 512 \div 8 = 64$

A が 8 回転するとき B は 64 回転します。
B が 64 回転するとき C が y 回転とすれば
$8 \times 64 = 16 \times y$　$512 = 16 \times y$
$y = 512 \div 16 = 32$

答　32 回転

※かみ合う歯の数は ABC 同じ（512）ですから B を無視して
　A と C で考えてもできます。

第8章

場合の数を迷わず正確に求める解き方のルール

ルール62 並べ方は樹形図をかいて考える

解説 まずは解説をしっかり読もう！

並べ方と間違いやすい組み合わせ方というのがありますから本題に入る前に、まずこの2つの区別をはっきりさせましょう。

たとえば、**ABCの3人から店長とチーフを選ぶのが並べ方。ABCの3人からチーフを2人選ぶのが組み合わせ方です。**

それぞれ何通りか見てみましょう。

◆ 店長とチーフを選ぶ場合

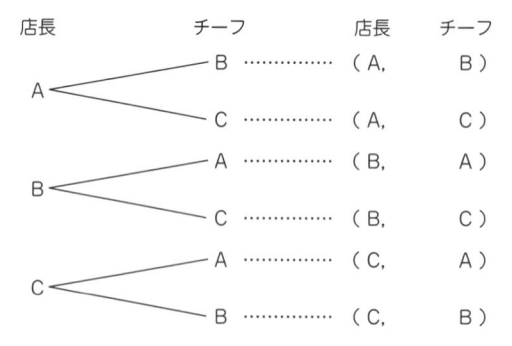

```
店長      チーフ        店長    チーフ
       ┌─ B ……………（A,    B）
   A ─┤
       └─ C ……………（A,    C）
       ┌─ A ……………（B,    A）
   B ─┤
       └─ C ……………（B,    C）
       ┌─ A ……………（C,    A）
   C ─┤
       └─ B ……………（C,    B）
```

このように6通りです。これが並べ方の数です。

並べ方は枝分かれする図（= 樹形図）をかけば簡単に数えることができます。

第8章 場合の数を迷わず正確に求める 解き方のルール

一方チーフ2人を選ぶ場合は（AとB）（AとC）（BとC）の3通りです。これが組み合わせ方の数です。

並べ方と組み合わせ方の違いははっきりしました。
以下、例と練習を通して並べ方の数え方に慣れましょう。

例題

１ ３ ５ の3枚のカードを並べて3けたの整数を作るとき、全部で何通りできますか。

答

樹形図をかきます。

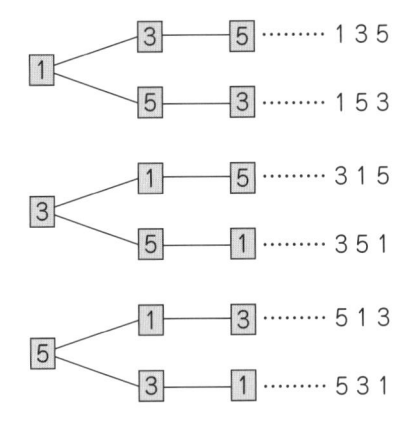

```
      ┌─ 3 ── 5 ……… 1 3 5
 1 ──┤
      └─ 5 ── 3 ……… 1 5 3

      ┌─ 1 ── 5 ……… 3 1 5
 3 ──┤
      └─ 5 ── 1 ……… 3 5 1

      ┌─ 1 ── 3 ……… 5 1 3
 5 ──┤
      └─ 3 ── 1 ……… 5 3 1
```

樹形図より6通りです。

先頭が １ の場合だけ図をかいて数えて2通り
先頭が ３ ５ の場合も同様だから
全体では、2×3=6通り
このように計算することもできます。

答　6通り

練習1 実践!!

Ａ Ｂ Ｃ Ｄの４枚のカードから３枚取り出して並べる並べ方は全部で何通りあるでしょうか。
先頭が Ａ の場合だけ樹形図で数えて、あとは計算で求めてください。

memo

答 確認!!

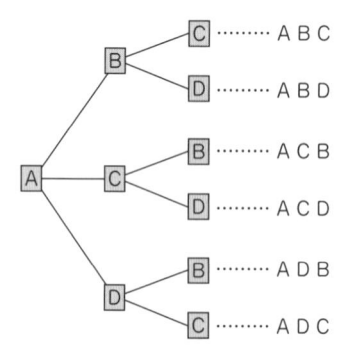

```
         ┌─ C ……… A B C
      B ─┤
     ╱   └─ D ……… A B D
    ╱       B ……… A C B
   A ── C ─┤
    ╲       D ……… A C D
     ╲   ┌─ B ……… A D B
      D ─┤
         └─ C ……… A D C
```

先頭が Ａ の場合６通り、先頭が Ｂ Ｃ Ｄ の場合も同様だから
全部で６×４＝24

答　24 通り

第 8 章 場合の数を迷わず正確に求める 解き方のルール

練習2 実践!!

遊園地に行きました。やってみたいアトラクションが5つありました。この5つのアトラクションをやってみる順番は何通りあるでしょうか。アトラクションを A, B, C, D, E としてこの並べ方が何通りあるかで考えてください。

memo

答 確認!!

先頭が A の場合、枝分かれする図をかくことで
4×3×2×1＝24（通り）
先頭が B, C, D, E の場合も同様だから
全部で 24×5＝120

答　120 通り

ルール63 たくさん選ぶ場合は選ばれないほうを考えてみる

解説　まずは解説をしっかり読もう！

一例として A B C D の 4 枚のカードから 2 枚取り出す組み合わせ方の数を数えてみましょう。

A から順番に数えていきます。
(A と B)(A と C)(A と D)

次は B ですが、**(B と A) は (A と B) と同じだから数えません。**(B と C)(B と D)

次は C です。(C と D) 以上の 6 通りです。
このように順番に数えていきます。

では、A B C D の 4 枚のカードから 3 枚取り出す組み合わせ方の数はどうでしょうか？　順番に数えてもいいのですが 4 枚から 3 枚選ぶ=4 枚のうち 1 枚を選ばないと発想の転換をして選ばない 1 枚に着目すると簡単です。

A を選ばないことで (B C D)
B を選ばないことで (A C D)
C を選ばないことで (A B D)
D を選ばないことで (A B C) 以上の 4 通りです。

このようにたくさん選ぶ場合は選ばれないほうを考えてみるのがうまい方法です。以下、例と練習で慣れましょう。

第8章 場合の数を迷わず正確に求める 解き方のルール

例題

1 2 3 4 5 の5枚のカードの中から4枚のカードを取り出す組み合せは全部で何通りあるでしょうか。

答

そのまま数えると大変です。
5枚から4枚選ぶ＝5枚から1枚を選ばない方法を使います。

1 を選ばないことで（ 2 3 4 5 ）
2 を選ばないことで（ 1 3 4 5 ）
3 を選ばないことで（ 1 2 4 5 ）
4 を選ばないことで（ 1 2 3 5 ）
5 を選ばないことで（ 1 2 3 4 ）

答　5通り

練習 実践!!

a, b, c, d, e, f, g の7人から5人を選ぶ組み合わせ方は何通りでしょうか。

memo

答 確認!!

そのまま数えると大変だから、
7人から5人選ぶ=7人から2人を選ばない方法を使います。
選ばない2人の組み合わせを数えます。
aから順番にダブリがないように数えます。

(a, b) (a, c) (a, d) (a, e) (a, f) (a, g)
(b, c) (b, d) (b, e) (b, f) (b, g)
(c, d) (c, e) (c, f) (c, g)
(d, e) (d, f) (d, g) (e, f) (e, g) (f, g)
以上21通りです。

答 21通り

第8章 場合の数を迷わず正確に求める 解き方のルール

ルール64 Nチームの総あたり戦の試合数はN×(N−1)÷2

解説 まずは解説をしっかり読もう！

総あたり戦はリーグ戦ともいいます。

試合数がどうなるのか、そのしくみをＡＢＣの3チームの総あたり戦で考えましょう。

対戦表は下の通りです。

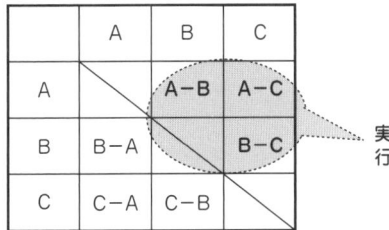

	A	B	C
A	\	A−B	A−C
B	B−A	\	B−C
C	C−A	C−B	\

実際にはこの試合が行われます

Aは、BとCと戦うので2試合
Bは、AとCと戦うので2試合
Cは、AとBと戦うので2試合
そこで、3チーム×2試合＝6試合となりますが
上図より実際に行われるのはこの半分です。

結局、試合総数＝**チーム数 × 各チームの対戦数 ÷2** で計算します。

Nチームの場合はN×(N−1)÷2で計算します。

以下、例と練習で慣れましょう。

例題

A, B, C, Dの4チームが総あたり戦をするとき、試合数は何試合になるでしょうか。

答

ABCDの4チームのリーグ戦の対戦表は下の通りです。

	A	B	C	D
A		A-B	A-C	A-D
B	B-A		B-C	B-D
C	C-A	C-B		C-D
D	D-A	D-B	D-C	

実際にはこの試合が行われます

Nチームの試合数は、N×(N－1)÷2 だから
4×(4－1)÷2＝6

答　6試合

第8章　場合の数を迷わず正確に求める　解き方のルール

練習　実践!!

何チームかでサッカーのリーグ戦をしたところ、試合数は36試合になりました。リーグ戦に参加したのは何チームでしょうか。

memo

答　確認!!

Nチームのリーグ戦の試合数は N×(N−1)÷2 です。
これが36だから
N×(N−1)÷2=36
Nは正の整数だから、N=1、2、3……と
代入していくことにより　N=9

答　9チーム

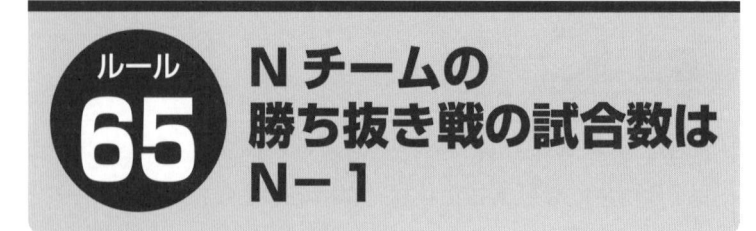

ルール 65 Nチームの勝ち抜き戦の試合数は N−1

解説 まずは解説をしっかり読もう！

勝ち抜き戦はトーナメント戦ともいいます。

試合数がどうなるか、そのしくみを A, B, C, D の4チームの勝ち抜き戦で考えましょう。下は試合結果の一例です。

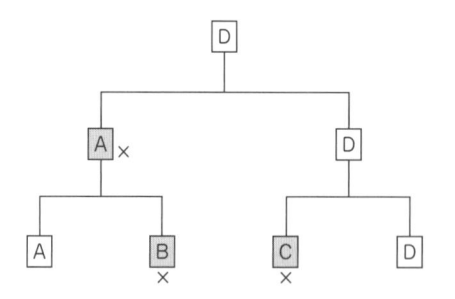

```
              D
         ┌────┴────┐
        A×         D
       ┌─┴─┐    ┌─┴─┐
       A   B    C   D
           ×    ×
```

この場合の試合数は、Aと B、CとD、AとDの3試合ですが、これは敗退する3チーム B C A の数と見ることができます。

4チームの場合の試合数は、敗退するチーム数だから、4−1試合
5チームの場合の試合数は、敗退するチーム数だから、5−1試合

結局、Nチームの場合の試合数は敗退するチーム数でN−1試合です。

以下、例と練習で慣れましょう。

第8章 場合の数を迷わず正確に求める 解き方のルール

例題

100チームがトーナメント戦で優勝を争いました。引き分けはないものとして、何試合しなければならないでしょうか。

答

敗退するチーム数を求めます。
Nチームの場合N−1チームですから
100チームの場合、100−1＝99

答　99試合

練習　実践!!

何チームかで勝ち抜き戦を行ったところ、優勝が決まるまでに55試合が行われました。何チームが参加したのでしょうか。

memo

答　確認!!

敗退するチーム数を求めます。
Nチームの場合N−1チームです。
これが55だから、N−1＝55
N＝55＋1＝56

答　56チーム

■著者略歴
間地　秀三（まじ　しゅうぞう）

1950年生まれ。九州芸術工科大学（現九州大学）卒。
長年にわたり小学・中学・高校生に数学と英語の個人指導を行う。
その経験から生み出された、短時間で簡単にわかる数学・算数のマスター法を数学書として多数発表。ロングセラーとして好評を博している。

著書：
「中学3年分の数学が14時間でマスターできる本」「中学3年分の数学が基礎からわかる本」「微分・積分がかんたんにマスターできる本」（明日香出版社）、「小学校6年間の算数が6時間でわかる本」（PHP研究所）など多数。

本書の内容に関するお問い合わせ
明日香出版社　編集部
☎（03）5395-7651

小学6年分の算数が面白いほど解ける65のルール

| 2011年　3月20日　初版発行 | 著　者　間地　秀三 |
| 2016年　5月26日　第38刷発行 | 発行者　石野　栄一 |

〒112-0005 東京都文京区水道2-11-5
電話（03）5395-7650（代表）
（03）5395-7654（FAX）
郵便振替 00150-6-183481
http://www.asuka-g.co.jp

明日香出版社

■スタッフ■　編集　早川朋子／久松圭祐／藤田知子／古川創一／大久保遥
営業　小林勝／奥本達哉／浜田充弘／渡辺久夫／平戸基之／野口優／
横尾一樹／田中裕也／関山美保子　総務経理　藤本さやか

印刷　株式会社フクイン
製本　根本製本株式会社
ISBN 978-4-7569-1446-0 C2041

本書のコピー、スキャン、デジタル化等の無断複製は著作権法上で禁じられています。
乱丁本・落丁本はお取り替え致します。
©Shuzo Maji 2011 Printed in Japan

著者好評既刊

中学3年分の数学が
14時間でマスターできる本

間地　秀三

中学数学くらい子供に教えてやりたいと思うお父さん、もう一度簡単に数学を復習してみたい人、マイナスや比例がさっぱりわからない人へ。中学3年分の数学のポイントだけをわかりやすくした本。

本体価格1165円＋税　B6並製　224ページ
ISBN4-87030-573-9

中学3年分の数学が
基礎からわかる本

間地　秀三

「数学が苦手」「考え方がわからない」という方のための本です。ビジュアル的に解説することで、数学をイメージしながら考える力が身に付きます。

本体価格1100円＋税　A5並製　208ページ
ISBN4-7569-0829-2

中学3年分の数学の
文章題が基礎からわかる本

間地　秀三

食塩水の濃度の問題、列車の問題、速さ・時間・道のりの問題・・・「うわ、苦手！」というイメージがある文章問題で、どうすれば答が導けるのか。その解法をビジュアルで分かり易く解説。

本体価格1100円＋税　A5並製　212ページ
ISBN4-7569-0891-8

微分・積分がかんたんにマスターできる本

間地　秀三

微分・積分という難解なイメージのある分野を、軽快な書き口と例、楽しいイラストで解説してあります。
学校で教える算数・数学について行けず、苦手になってしまった人に定評のある著者の解説本です。

本体価格 1200 円＋税　B6 並製　200 ページ
ISBN978-4-7569-1201-5

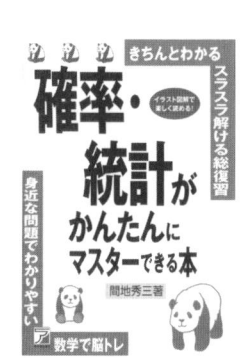

確率・統計がかんたんにマスターできる本

間地　秀三

「降水確率の本当の意味は？」「血液型は何型が得？」「会いたくない人に会ってしまう確率は？」などのユニークな例題を、楽しいイラストで解説してあります。
学校で教える算数・数学について行けず、苦手になってしまった人に定評のある著者の解説本です。

本体価格 1200 円＋税　B6 並製　184 ページ
ISBN978-4-7569-1210-7

中学で習う数学［図形］が
7時間でわかる本

平山　雅康

数学というと、なにやら細かい数字がびっしりつまっていて、見ただけでお腹が痛くなるような人、「図形」だけならどうですか？　相似や証明の問題など、ビジュアル派の人におすすめの本。

本体価格1165円＋税　B6並製　224ページ
ISBN4-87030-712-X

中学3教科［英数国］が
1週間でおさらいできる本

自立学習協会　編・平山雅康　監修

これ1冊で中学主要科目の英数国の総ざらいできる本！
高校入試直前対策に、また1科目だと飽きてしまうという方にもオススメの1冊です！

本体価格1165円＋税　B6並製　224ページ
ISBN4-87030-975-0

小学校で習う理科が6時間でわかる本

左巻　健男

おなかの中にいる赤ちゃんはうんこやおしっこをするでしょうか？上弦の月と下弦の月の違いは？…楽しい問題に挑戦しながらだいじなポイントをおさえられる！楽しみながら教養を増やせる1冊。

本体価格1165円＋税　B6並製　208ページ
ISBN4-87030-722-7